D1639641

afgeschreven

Van Philip Freriks verscheen eveneens bij Conserve

Philip
Freriks

Jantje

Vertelling

UITGEVERIJ CONSERVE

Aan Susanne en Joop

CIP-gegevens Koninklijke Bibliotheek, Den Haag

Freriks, Philip

Philip Freriks : *Jantje* – Schoorl : Conserve
ISBN 90 5429 202 4
NUR 301
Trefw: 60 jaar bevrijding

I Hoe vaak zijn we er niet geweest? Zo vaak in ieder geval dat ik de route wel kan dromen. Op de fiets gingen we. Het zondagse uitje. Ik in een zitje aan het stuur van mijn vaders fiets. Als een meester op de bok. Zo heet dat in spoorwegtermen en als mensen van het spoor wisten we daar alles van. Mijn zusje bij mijn moeder achterop, ook in een zitje. Mijn broer met zijn eigen fiets, zo groot was hij al. Mijn vader had een echt rijwiel want zo mag je een fiets met handremmen en een mooie voorlamp toch wel noemen. Later moest ik achterop de bagagedrager met een kussentje onder de snelbinders en uitklapbare voetsteunen. En nog weer later op mijn eigen fiets. Met schijnwerper. Een cadeau van Sinterklaas, gedicht incluis. Wat aan het zondagse ritueel overigens niets veranderde.

Daar gingen we. Met een bocht om de enige auto in de straat, de kever van 'oom' Wim Groot. De buren van links waren allemaal oom en tante. Niet die van rechts, want die waren katholiek. En die van de overkant te veel artikel 31.

Straat uit. Een heel gewone straat tussen twee haakjes waar de gordijnen dichtgingen als er iemand overleden was en je aan de raambiljetten iemands politieke voorkeur aflezen kon. We waren de enigen met een biljet van Drees. Rijtjeshuizen met voor- en achtertuintjes aan de ene kant – waar wij woonden – en mindere woningen met alleen maar achtertuintjes aan de andere kant. Een net buurtje met nette eenvoudige mensen, in de schaduw van de Sint Gerardus Majellakerk. Nieuwbouw van kort voor de oorlog, omringd door grasland.

Aan het eind van de straat begonnen de weilanden waar we voor moederdag gele paardebloemen en madeliefjes gingen plukken. En pinksterbloemen niet te vergeten. Iets verderop was de fabriek van Douwe Egberts met zijn koffiebranderij. Een heerlijk soort stankoverlast. Ik kom er nog weleens voorbij en soms is die geur er dan weer. Koffiebranden ruikt nog net als toen.

De kerk was ons baken. Niet vanwege het geloof maar door het getingel en gebeier. Elke ochtend werden we aan onze plichten herinnerd met onophoudelijk klokgelui. Om tien voor zeven, tien voor acht, tien voor negen. Op naar de nieuwe dag. Aan de heilige moederkerk heeft het niet gelegen. Dag en nacht speelde het carillon de eerste maten van *Merck toch hoe sterck*, dat van oorsprong nou niet bepaald een katholiek strijdlied was.

Het carillon behoorde tot de sterke verhalen in de buurt. We hadden het te danken aan Van Seumeren, oudijzerhandelaar, die zo'n klokkenspel cadeau zou doen als hij en zijn familie ongeschonden de oorlog doorkwamen. En dat kwamen ze. Ze woonden aan een smal weggetje richting Amsterdam-Rijnkanaal, in een grote witte villa met aan de andere kant een brede sloot waar ik schaatsen heb geleerd. Hij had Cadillacs met chauffeur. Eén van hen was de oom van een buurjongen. Hij nam ons af en toe mee voor een ritje. Dan daverde hij, wij onze neus tegen de panoramische voorruit, met 120 km per uur over de Vleutenseweg. De ramen gingen elektrisch open en dicht. Een wonder.

We fietsten het Majellapark langs, voorbij het politiebureau op de hoek van de Broerestraat, de Vleutenseweg op. Oversteken, uitkijken, linksaf. Langs Koot, de sigarenwinkel in een voorkamertje met ronde kolenkachel waar het altijd warm en gezellig was, niet in het minst door de zoete geur van tabak. Bij Koot had ik ooit een sigaar van vijftig cent gekocht als Sinterklaascadeau voor mijn vader. Een vermogen. Hij vond 't zonde van het geld.

Dan langs de openbare school in de monumentale bouwstijl van rond de vorige eeuwwisseling. Met imitatietrapgevel en schoffies van wie we elk jaar de strijd om de kerstbomen verloren. Ze woonden in de zijstraten van de Laan van Nieuw-Guinea. *De Loan,* in kort Utrechts gezegd. Er zaten veel 'communisten'. Nu waren de schoffies ongevaarlijk, want op zondag zag je ze niet. En de communisten waren best nette lui, volgens mijn moeder, want haar broer was er ook één geweest. In de gymzaal was in de oorlog de gaarkeuken waar mijn broers Jantje en Joke lang in de rij stonden voor een armzalig pannetje soep.

Op de Vleutenseweg was nog geen fietspad. Dat kwam pas later. De twee rijbanen werden gescheiden door brede rechthoekige graskuilen. Tegenover de school waren nog schuilkelders waar oudere jongens in het geniep sigaretjes rookten die ze bij Koot hadden gekocht. We passeerden het snoepwinkeltje tegenover de Jaffafabriek en dan de Jaffa-apotheek.

Aan het eind, vlak voor het spoor, ging de weg over in een laan met grote grove klinkers, overschaduwd door hoge bomen. Een restant vroeg 19e eeuw. Je had er de Kanonstraat en de Hagelstraat, vast bedoeld om het militaire personeel in de aanpalende kazernes een thuisgevoel te geven. Kleine arbeidershuisjes die later onbewoonbaar zijn verklaard, onderdeel van wat wij als een gribusbuurtje zagen. Troelstra zou er nog even hebben gewoond. Als ik weleens plaatjes zag van de Blauwe Knoop met het opschrift 'Toe vader drink niet meer', dan moest ik aan dat buurtje denken. Daar kwam je niet. Behalve als ik naar pianoles ging aan het Wolff en Dekenplein, aan het begin van de Bilderdijkstraat. Bij juffrouw Peperkoorn die later mevrouw Dreese werd. Ik voel nog haar zware borsten die mijn hoofd omsloten

Mijn moeder met Joke voor ons huis met verduisterde, afgeplakte ramen op 10 mei 1940

als ze iets voorspeelde. Denk niet dat er sprake was van erotische dwaalgedachten. Ik stikte eerder onder haar zweterige lichaam dat de taal sprak van irritatie omdat ik die week weer niet voldoende had geoefend. De toetsen werden niet gestreeld maar gestraft, zozeer dat de meest subtiele sonate klonk als oorlogszuchtige marsmuziek.

Vervolgens namen we de tunnel onder het spoor die af en toe onderliep als het heel hard regende. Dan rechtdoor over de Leidsche Veer tot aan het stoplicht voor de Smakkelaarsbrug. Een brug die openging en dus veel als smoes heeft gediend. Zwermen fietsers, het drukste stukje van Utrecht en dus gevaarlijk. Mijn moeder was geobsedeerd door gevaar. Geen wonder.

Over de singel was de 'stad', met de Galeries Modernes en V&D. Her en der waren de sporen van de vooroorlogse tram naar Zeist nog zichtbaar. Links had je de 'lunchroom' van Rutecks. Rechts de Neude met het hoofdpostkantoor. Ik denk dat we daarna gewoon de Voorstraat inreden. Die was bij mijn weten nog met tweerichtingsverkeer. Na de Wittevrouwenbrug kwamen we op de Biltstraat, langs OZEBI waar ik zwemmen heb geleerd. Diploma A en B. Mijn broer Joop bracht me er 's morgens vroeg naartoe. Ik bij hem achterop. Na de zwemles bracht hij me terug tot aan de spoortunnel. Vandaar ging ik lopend naar huis. De bus was luxe. Joop was dan nog net op tijd voor zijn eerste lesuur op de Gemeente HBS aan de Catherijnesingel. Om kwart over acht. Nooit heb ik hem horen morren.

Via de Biltstraat kwamen we bij de Berenkuil. Mooie naam. Lichtrode stoeptegels waardoor de fiets in een ritme reed dat leek op dat van een trein. Dat waren we ook in mijn fantasie. En ik, voor in het zitje aan het stuur, was de machinist, net als Opa Groningen, en maakte de bijbehorende geluiden. Kedèng, kedèng en veel gesis van de remmen. De fietsers werden via tunneltjes door de kuil geleid, de auto's bovenover. Heel modern voor die tijd. Nooit beren op de weg gezien.

We namen het fietspad aan de linkerkant van de grote weg

naar Zeist. Toen al vierbaans maar zonder tussenberm. Er kwamen bussen langs die op weg leken naar ver. Een ver dat voor fietsers onbereikbaar was. We passeerden de Ascotstomerij van de familie Botterman, die eveneens lid was van onze kerk. In de voortuin stond een groot houten paard dat met gestrekte poten een reuzensprong over een hindernis maakte en daarop een Ascotruiter in vol ornaat. Allemaal verdwenen. Nieuwbouw, het is er niet mooier op geworden. Later kwam ik er over de vloer omdat ik een beetje ging met de jongste dochter die ik van catechisatie kende. Dat kwam dus goed uit, ook al is het nooit wat geworden.

In mijn ogen waren ze rijk. Ze hadden een Spaans dienstmeisje voor dag en nacht; gastarbeiders kwamen toen uit Zuid-Europa. Aan tafel werd er onderling veel geruzied. Vader troonde aan het hoofd; breed, kop met wit haar, opvallende das met speld, gouden horloge, een ondernemer die het voor zichzelf had gemaakt. Dat moest je goed weten en vooral zijn zoons die hij bij voorkeur in mijn bijzijn voor verwende lapzwansen uitmaakte. Soms mochten we mee in z'n Amerikaanse slee waarmee hij steeds weer snelheidsrecords verbrak. Vooral als hij dronken was.

Linksaf. Via Park Arenberg en de Kerklaan. Huizen met koosnaampjes in sierlijke letters op de gevel. Weltevreden, Mon Rêve, Free Air, Eigen Haard. Of meisjesnamen; Gerda, Johanna, Sonja. De meeste zijn verdwenen. De huizenbezitters van nu dromen niet meer hardop. Met de verkiezingen zag je er veel VVD-raambiljetten of van de CHU. De KVP pleitte voor individuele bezitsvorming, wat tegen de principes van mijn ouders was.

Dan via de 1e en de 2e Brandenburgerweg. De fabriek van Inventum. Twee mogelijkheden: linksaf en via de onbewaakte overweg langs de hockeyvelden of rechtsaf via het stationnetje door het Heidepark. Meestal deden we het eerste, omdat het korter was. Er stonden paddestoelen van de ANWB, maar die 9 hadden wij niet nodig, we kenden de weg maar al te goed. Alles is er nu volgebouwd. En aan het weggetje staat de nieuwbouwversie van de beroemde *werkplaats* van Kees Boeke, die in tegenstelling tot wat de naam zou doen vermoeden, een school met kinderen van de elite was. Tussen het fietspad en de hockeyvelden was er een haag van bomen en struiken waardoor je nooit iets van het spel zag maar alleen aanmoedigingen hoorde, gejuich soms en getik tegen de bal.

En dan was er plotseling die statige laan naar de andere wereld. De wereld van voorbij het leven. Een doodlopende weg. Natuurlijk. Plotseling dat gevoel van beklemming met alleen het geknirp van de banden op het grint. De ingang werd gevormd door een rijtje coniferen. Ze stonden er strak rechtop, als wachters voor de eeuwigheid. We spraken niet meer. Dat was ons al heel vroeg duidelijk gemaakt, op een begraafplaats sprak je niet. Of alleen fluisterend. Uit eerbied voor de doden, die volgens het gezegde in vrede zouden rusten. Schrale troost trouwens. Ze storen zou een doodzonde zijn.

De begraafplaats heette Den en Rust, wat wij meestal uitspraken als Dennenrust. *'Als het zondag mooi weer is gaan we naar Dennenrust.'* Een mooie begraafplaats, inderdaad met veel dennen en rust. Bijna nooit iemand te zien. Uitgestorven. Uiteraard. De onderwereld als lusttuin voor wie niet beter wist. Een heerlijke plek om dood te zijn.

Het weer was vaak mooi op zondag.

Mijn ouders hadden altijd plantjes bij zich. Gele of paarse viooltjes, begonia's, petunia's of hoe dat allemaal heten mag. Bij de ingang mochten wij een ijzeren gieter vullen met water. En die zeulden we dan stil over het zandpad naar het graf van Jantje. Op de grafsteen stond Jan. Staat er nog altijd trouwens. Jan Freriks met de jaartallen 19-5-1935 – 14-4-1945. Wij noemden hem Jantje en zo is het gebleven.

Op een dag was ik er met mijn vader. Alleen. Hij hield me bij de hand. Klein in heel groot. Op het pad naar ons graf was een tuinman in de weer. Mijn vader raakte met hem in gesprek en vertelde het verhaal van Jantje. Het verhaal dat ik allang kende. Zijn dood bij de bevrijding van Groningen, waar hij met z'n broertje Joop, toen nog Joke genoemd, bij opa en oma logeerde om aan de hongerwinter te ontsnappen. De verdwaalde kogel. Het verdriet. De ontreddering. Dat ze het pas weken later van de dominee in Utrecht hadden gehoord. Mijn vader vertelde het in sobere bewoordingen. Zin voor zin. Een afgepaste monoloog met fatale afloop. Onafwendbaar.

Nooit heb ik zo gehuild als toen. Misschien omdat ik het verhaal zo niet eerder had gehoord. Uit zijn mond. Het grote verdriet van mijn moeder kende ik. Ik had er zogezegd mee leren leven. Het was deel van mezelf geworden. Maar zoals hij daar nu stond, zo groot en zo verloren bij dat anderhalve metertje zandgrond, gekocht van hun schamele spaarcenten. Die grote man, pratend tegen zichzelf over dat verloren kind. Nog geen tien. Een lief jong. Aanhankelijk. Zijn kind. Kapotgeschoten.

Ik heb me toen ongetwijfeld heel erg met hem verbonden gevoeld. Zijn verdriet was mijn verdriet. Verdriet dat altijd bij ons zou zijn. Onvervreemdbaar familiebezit. Schrijnend als een schaafwond tot in lengte van dagen. Een zwakke plek die af en toe opspeelt als bij veranderende weersomstandigheden. Ik hoor weer het geruis van de hoge bomen boven het graf. Ze liggen er nu met zijn drieën. En een kleindochter aan de andere kant van het pad. Ook in het hoofd getroffen, maar in haar geval door de sluipende dood.

We gaan er nog altijd naartoe met verse plantjes. En kaarsen. Als teken van leven. Bijna een familiereünie. Ik vroeg me altijd al af of het wel het geruis van de bomen was dat ik hoorde en niet het geraas van een trein. Zelfs nu nog slaag ik er niet in om het onderscheid te maken. Geruis en geraas die onmerkbaar in elkaar overgaan. Mooi wel voor een spoorfamilie; bomen die het verre gerucht van een passerende trein suggereren.

Heden werd onzen Zoon

JAN

geboren.

SUUS FRERIKS —
V. D. BERG.
JAN FRERIKS.

ZWOLLE, 19 Mei 1935.
Jasmijnstraat 13.

2 Met Susanne en Joop loop ik rond op het station in Groningen. We gingen er alle vakanties naartoe. Het is er niet echt veranderd. Nog altijd eindpunt voor de treinen van en naar het 'westen', alsof daar de echte grote wereld is. Meestal stond opa ons aan het eind van het perron op te wachten. Als hij dienst had was oom Joh er ook. Hij was mijn vaders jongere broer, werkzaam bij het seinwezen. Dan droeg hij zijn uniformpet, een beetje naar achteren, een beetje branie-achtig. Dat had wel wat. Aan hem kon je tenminste zien dat hij bij het spoor was.

We gingen altijd lopend naar de Peizerweg. Via de Emmasingel, over de Eelderbrug en de Eeldersingel. We sneden de hoek af via de Eelderstraat en lieten de Eendrachtsbrug dus rechts liggen. Zo kwamen we op de Paterswoldseweg. Tweede straat rechts en dan nog een klein stukje tot na de Abel Tasmanstraat, voorbij de bakker. Me nooit gerealiseerd dat het lopen in een gevechtszone was. Allemaal namen van straten en bruggen die van strategisch belang bleken te zijn geweest. Ik kom ze tegen in de verslagen over de hevige schermutselingen die er zich tijdens de bevrijding van Groningen hebben afgespeeld.

In mijn herinnering was het onderweg altijd koud en herfstig. Suikerbietencampagne. Modder. Drukte bij de sluis. Mijn grootvader verklaarde onveranderlijk dat het er niet echt koud was, maar slechts *waterkoud*. En zo is het ook nu, herfstige waterkoude, een lucht van Gronings grijs. Daar staan we, voor de betonnen, granitoachtige trap naar het bovenhuis op 31a. Wat ontbreekt, is de koffie met slagroom en de alles overspoelende genegenheid van oma.

Ik had expres de trein genomen om het gevoel van vroeger terug te krijgen. Naar Groningen was een echte reis, met pakjes brood. En kadetjes en krentenbollen als feestelijke extra's. Utrecht had nog een braaf provinciaals station met een rijwielstalling voor een dubbeltje per dag. Een schemerige catacombe. 13

Een soort mierenhol met een voortdurend komen en gaan van gehaaste reizigers die bediend werden door een mannetje dat de fietsen wegbracht en later weer ophaalde tegen inlevering van het eerder afgegeven roze bonnetje. Buiten tegen een muurtje zat altijd dezelfde Chinees met een koffertje vol koopwaar. Snoep en veters. De 'poepchinees', wat volgens Van Dale bedoeld was als een *goedmoedig scheldwoord*. We kochten nooit wat.

Aan de overkant stonden de groene bussen van de NBM naar Zeist of Doorn. Die kwamen ook voorrijden als we op schoolreisje gingen. Echte bussen, niet van die kale stadsbussen. Later gingen we met de touringcars van *Pluk den Dagh*. En er was Hotel Terminus dat aan de familie Fagel toebehoorde. Een echte horecafamilie. Met zoon Gerard zat ik in dezelfde bank op de Rijks HBS. Afkijken geen probleem. Susanne zat in een andere klas en herinnert zich dat de meisjes hem een viezerd vonden, omdat hij met condooms op zak liep. Echt iets voor Gerard, handel waarschijnlijk. Toen ik het tv-programma *Haagse Kringen* deed, gingen we na afloop souperen in zijn *Bistroquet* aan de Lange Voorhout. Daar is destijds die complotachtige foto gemaakt: Dries van Agt en Hans Wiegel onder de lamp, Joop den Uyl van zijn overwinning beroofd.

Gerard is later bij een overval vermoord. In Bilthoven nota bene. Toevallig hadden we net afgesproken voor een paar dagen later. Om het in een tv-uitzending over het genot van lunchen of dineren in de trein te hebben zoals dat in Frankrijk nog gebruikelijk was. Sinds de krentenbollen in de trein naar Groningen heb ik dat altijd een feest gevonden. Mijn ultieme genot. Andere tijden. Volgens mijn moeder begonnen we al te zeuren dat we honger hadden als Bilthoven nauwelijks was gepasseerd. De onbewaakte overweg naar het graf was in een flits voorbij. Vanuit de trein zag je alleen de bomen.

Heel vaag herinner ik me nog dat we met een stoomtrein gingen. Minstens drie uur deden we erover. En vervolgens kwamen er veel snellere dieseltreinen. Soms, als er een bevriende machinist op de bok zat, mochten we voorin in de cabine. Dat was verboden natuurlijk. Dus, bij elk stationnetje dat we passeerden, moesten we wegduiken om niet door de op het perron gepposteerde stationschef te worden opgemerkt. Die zou alarm kunnen slaan. Met zo'n diesel haalden we een keer 128 km per uur. We beleefden het als een soort wereldrecord. Zelfs mijn vader was onder de indruk. Jantje had ook een keer voor op de bok gezeten. Uit de dozen met stapels brieven en papieren van mijn ouders duikt een felicitatie van 2 februari 1944 op die Jantje aan Oma Zutphen had geschreven. Zo noemden we de oma van moeders kant om haar te onderscheiden van Oma en Opa Groningen van vaders kant. Bij de brief zat ook een tekening van een grote Nederlandse vlag die speciaal voor oma was uitgestoken. Jantje schreef dat het *'zoo leuk'* was geweest toen ze eerder met de trein waren teruggegaan. Een helemaal lege trein, memoreert hij. Veel werd er al niet meer gereisd. *'We gingen kijken voor want daar was de motor. Wij konden de wijzers van den motor goed zien, dan reed de trein op 400 dan weer op 500 dan 600, zoo op en neer en dan als we bij een dorp kwamen dan ging de wijzer op nul, en ging een lichtje aan dat was van de rem. We hadden het heerlijk.'*

15

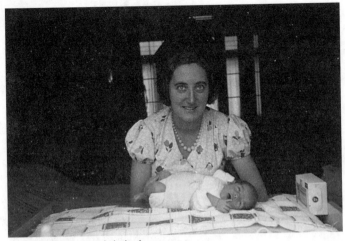

Mijn moeder met Jantje in juni 1935

In juli 1935

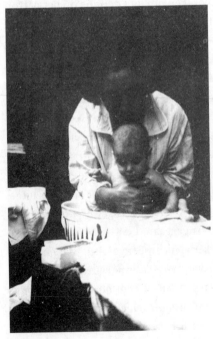

Tot mijn vreugde moet je in Amersfoort nog altijd overstappen als je toevallig op het verkeerde half uur bent ingestapt. Op datzelfde perron. Het heeft iets weg van een massale stoelendans. Een onveranderlijk ritueel dat zich elk half uur met veel geren en geroep herhaalt. En na Zwolle komt Meppel, waar mijn vader koffie kocht van een man die met een grote kan en een dienblad vol kartonnen bekertjes langs de trein kwam, luid 'koffie, koffie' schreeuwend met heel veel nadruk op de eerste lettergreep. 'KOFFFie'. Met melk en een suikerzakje dat bewaard werd voor de suikerzakjesverzameling van Susanne. Volgens mijn vader was de koffie in Meppel verreweg de beste. Dan desolate halteplaatsen als Hoogeveen, Beilen, Assen met de onvermijdelijke grap van papa over de noordelijke conducteurs die volgens hem *Oogeveen* en *Hassen* riepen. Nog twintig minuten. Vlak voor aankomst de grote elektriciteitscentrale ten teken dat de jassen konden worden aangetrokken. De verlossing. Bij de bevrijding hadden de Canadezen de centrale zwaar onder vuur genomen. Strategisch object. Van de granaatinslagen was niets meer te zien.

In de trein hadden we het niet over wat er in Groningen was gebeurd. En ook niet ter plekke trouwens. Groningen was vakantie, plezier, verwennerij, de speeltuin in het Stadspark met de Engelse schommel. Onschuld. Nooit geweten dat vandaar met mortiergeschut op de Duitse stellingen in en rond de stad geschoten werd. Joop wel. Hij herinnert zich vooral het gierende, fluitende geluid van de granaten die overkwamen.

Angst? Nee, geen angst.

Nou ja, *'ik praatte mezelf aan dat de grote kogels ons huis niet in konden omdat er immers andere, nog hogere huizen aan de overkant voor stonden,'* schrijft Joop in 1998. *'Om het toch maar een keertje op te schrijven en dan is het ook klaar.'* Hij voegt er bijna verontschuldigend aan toe: *'Als kind zou je veel meer ellende hebben kunnen meemaken. Dit is in vergelijking met anderen een kleine geschiedenis.'* Klein, jazeker, maar met een effect dat al het andere in ons gezin jaren heeft overheerst.

3 In de mooi gerenoveerde restauratie van het oude Groningse station vertelt mijn oudere broer hoe toen de reis was verlopen. Midden in de hongerwinter. Kinderherinneringen. Fragmentarisch. Joke of Jopie, zoals hij toen nog werd genoemd, was bijna zeven. Het was een natte, sombere februaridag in 1945. Grijs licht. Dat ziet hij nog voor zich. Het gerucht ging dat de IJsselbrug bij Zwolle op 1 maart zou worden opgeblazen. Het was de laatste kans voor Jantje en Joke om de hongerwinter te ontvluchten. *'Het is thans zeer moeilijk met het eten geworden. Per week vier ons brood, 250 gram peulvruchten en een ons vleesch,'* schreef mijn vader. Hijzelf kon de jongens niet wegbrengen. Dat was te gevaarlijk. Er werd op mannen voor de *Arbeitseinsatz* gejaagd. Razzia's. Dus moest mijn moeder met ze mee.

Ze moesten zich 's avonds melden bij de stallen van Van Gend & Loos, het latere Erasmushuis aan de Oude Gracht. Kindertransport. Joop vertelt me dat Jantje en hij me even in de armen hadden gehouden. Het is een detail dat me nu ontroert. Die twee jongens met hun jongere broertje. Een beetje onhandig misschien wel. Een laatste afscheid waarvan ik niets geweten heb. En toen gingen ze.

Na eindeloos wachten kwam er eindelijk een vrachtwagen. Er was een Rode Kruisverpleegster die als enige een zaklantaarn had. Dat was Joke opgevallen. Een echte zaklantaarn, wie had dat toen? Er werd gehuild bij het afscheid. Ook dat is hem bijgebleven. Twee mannen moesten verstopt worden onder het stro. De kinderen over hen heen. Liggen en slapen was het consigne. De zuster met de zaklantaarn controleerde het resultaat van de verbergpartij. Soms hotsebotste de vrachtwagen vervaarlijk. Alsof ze door diepe kuilen gingen. Vaak werd de reis onderbroken. Zenuwachtig gedoe. Deuren die open- en dichtgingen. Stemmen. Het geblaf van afweergeschut in de verte, gebrom van vliegtuigen. De inslag van bommen. Uren wachten op een beschutte plek voor een brug kon worden gepasseerd. Alles in de nacht, alles onzichtbaar.

Niemand mocht iets zeggen. Toen een kind bij een Duitse controlepost toch begon te huilen, werd er met een felle lamp naar binnen geschenen. Joke ziet bizarre schaduwen aan de bovenkant en op de wanden van de vrachtwagen. Iedereen houdt de adem in. Maar de schuifdeur van de laadruimte gaat weer dicht. Opluchting. Giechelend wordt de mannen gevraagd of ze nog niet gestikt zijn.

In de ochtend arriveerden ze op de Grote Markt bij een somber, grijs gebouw; het Scholtenhuis waar de SD kantoor hield. Joop herinnert het zich omdat opa er iets van zei. *'Daar zitten de Groenen en de SS.'* Daar had ook mijn vader eerder in de oorlog een aantal dagen vastgezeten omdat hij in zijn treincoupé wat al te vrijmoedig over het moffentuig had gesproken. *Feind hört mit* aan den lijve ondervonden. Een medereiziger was in Zwolle even uitgestapt om hem te verlinken zoals later bleek. Opa stond zijn zoon zoals gebruikelijk op te wachten en zag dat hij werd gearresteerd. Mijn vader herkende onder de mannen van de SD de medereiziger die zich als enige niet in het ongetwijfeld geanimeerde gesprek had gemengd en in Zwolle even de trein uit was geweest. Er zijn veel brieven over en weer verstuurd in die dagen. Bange brieven met al te geruststellende woorden om elkaar moed in te spreken. En hoe het leven werd georganiseerd

Mijn vader en moeder met Jantje, augustus 1936

Mijn vader met Jantje,
januari 1937

Mijn moeder met Jantje, juni 1937

en dat papa's afdelingschef was gewaarschuwd. Hij was na een paar dagen Scholtenhuis naar het Huis van Bewaring overgebracht met het verzoek om daar zijn distributiebonnen naartoe te sturen. Zelfs daar was het voedsel op de bon. Hij vroeg ook om zijn scheerspullen en meldde dat hij zijn eigen ondergoed mocht aanhouden omdat hij niet een *veroordeelde* was. Maar dat het niet thuis gewassen mocht worden. En of mijn moeder een postwissel van *f* 3,- kon sturen om de *wasscherij* te betalen. Ze trok bij haar schoonouders in en haar eigen moeder paste op het huis in Utrecht. Er kwam een vreemde, nare man aan de deur om inlichtingen. Gelukkig kwam hij later niet meer terug, zo constateert Oma Zutphen opgelucht. Na een dag of tien kwam mijn vader zogezegd met de schrik vrij. Een gevangenisbewaarder, zo blijkt uit een brief van opa, kwam later nog een los boord langsbrengen dat mijn vader vergeten was. Hij wist bovendien te vertellen dat de student met wie mijn vader zijn cel deelde, eveneens vrijgelaten was.

Daar dus stopte de vrachtwagen van Van Gend & Loos. Aan de Grote Markt. Lopend gingen ze naar de Peizerweg waar oma en opa woonden. Mijn moeder keerde vrijwel meteen terug naar Utrecht. Ze moest met de fiets, vervoer was er niet meer. Het was 27 februari en voor 1 maart moest ze die brug zijn gepasseerd. *'Een afschuwelijke terugreis. Praten erover emotioneert me nog altijd,'* zei ze later in een interview voor de RVU-omroep. Twee lange uitputtende dagen onderweg. Het was een barre winter. En ze was verdrietig, angstig, vol nare voorgevoelens. Niet wetend dat ze die tocht een paar maanden later weer zou maken. Een dodentocht.

Ergens bij Putten had ze in het hooi geslapen in gezelschap van een wildvreemde man. Koud van honger en uitputting en omdat ze niet warm genoeg gekleed was. Hij had haar zijn jas gegeven en haar getroost. Aan hem kon ze haar verhaal kwijt. Dat het was of ze haar kinderen in de steek gelaten had en hoe ongerust ze was. De man had haar als het ware in bescherming genomen en ze had zich bij hem veilig gevoeld. Volkomen veilig. Ze had dat alleen aan Susanne verteld. In dat jaar was ze nog geen 34.

Thuis in Utrecht moest mijn vader zich sinds september '44 verborgen houden. Tot dan toe was hij als spoorman vrijgesteld van verplichte arbeid in Duitsland. Maar de spoorwegen waren in staking gegaan en dus was het gedaan met zijn bevoorrechte positie. Regelmatig waren er razzia's. Dan werden de straten afgezet en huis voor huis doorzocht. Ook de onze. Paniek alom natuurlijk. Mijn vader had een luik gezaagd in de wc, verstopt onder de kokosmat. Dat was een precisiewerkje geweest, want het luik mocht vooral niet piepen als er iemand bovenop ging staan. Door zijn schouders op een bepaalde manier samen te trekken was hij in staat zich net door het gat in de wc te wurmen om zich dan in de kruipruimte onder het huis te verstoppen. Een prestatie voor een man van 1 meter 92. Veel meer dan een halve meter hoogte was er niet. Hij moest vliegensvlug handelen, het was een kwestie van seconden. Hij had daaronder zelfs een muurtje gemaakt van puin en zand, en daarachter een paar zandzakjes gelegd, zodat de Duitsers hem niet konden zien als ze door het andere luik onder de vloer keken. Of erger, als ze zouden schieten of er een handgranaat in gooien zoals dat volgens de geruchten wel was gebeurd. Het andere luik zat onder aan de trap in het voorportaal, pal onder de kapstok, als toegang voor de hoofdkraan van het water. Dat gat was bij de Duitsers bekend.

'Wo ist dein Mann?' schreeuwden ze tegen mijn moeder als ze met veel intimiderend kabaal aan de deur kwamen en ongevraagd naar binnen stapten om het huis te doorzoeken. Ze hield zich dan van den domme. Haar man was vertrokken en niet meer teruggekomen. 'Verschwunden'. Mijn vader kon het allemaal horen. Woord voor woord, voetstappen vlak boven zijn hoofd. Een keer kwam er een Duitse soldaat binnen, toen mijn moeder mij op de arm droeg. Hij leek zich te schamen en prikte mij vriendelijk in mijn buik. Hij had ook zo'n klein kind thuis, mompelde hij en zonder verder te zoeken verliet hij ons huis. Papa gered, mij werd later een bescheiden heldenrol toegedicht. Voor de zoveelste keer was mijn vader aan de razzia ontsnapt.

Ik scheen er toen, midden in de hongerwinter, uit te zien als een kleine papzak dankzij extra rantsoenen voor zuigelingen. Mijn moeder vertelde het later met een zekere trots. Eerder had ze zich nog zorgen gemaakt. In een brief aan haar moeder en haar broer, 'Lieve Moeke en Ben,' meldt ze: '*de kleinste groeit niet hard. Ik zou hem wel wat dikker willen hebben. Hij is anders wel wijs en die oogjes volgen je overal. Vooral Jantje en Joke kijkt hij aandachtig na.*'

Na de oorlog ging de brede deurmat nog weleens opzij en werd het onderste stuk van de traploper teruggeslagen en het luik onder de kapstok geopend. Dan mochten we erin. Bezoek aan papa's onderduikadres. Zelfs als kind vond ik die ruimte benauwend klein. Ik zou er gek zijn geworden van engtevrees. Mijn vader was er laconiek over, maar de angst moet hem in de keel hebben geklopt. Ik zie nog de kale vloer toen we het huis na mijn moeders dood voor altijd hadden leeggehaald en de deur sloten voor de allerlaatste keer. Alsof het verleden was geruimd. Levens niet waren geleefd. We hebben elkaar nog even aangestoten. Het wc-luik was er nog altijd.

Jantje op de Locomotief van Opa
Groningen, maart 1938

4 Ik kan me niet herinneren dat ik opa of oma ooit iets heb gevraagd. Ik bedoel in verband met Jantje. Het kwam niet eens in me op. In Utrecht werd er over gesproken, niet in Groningen. Ik heb me ook nooit afgevraagd hoe Jantje was. Dat was geen kwestie. Het deed niet meer terzake en hoe dan ook, het antwoord had voor de hand gelegen. Een fijne broer natuurlijk. Kon niet anders. Een soort ridder zonder vrees en verwijt. Vanwege dat woord misschien wel: *gesneuveld*. Dat had iets heldhaftigs terwijl het om niet meer dan een tragische vergissing ging. Hij was dood en dus zonder zonden. Een witte raaf tegen wil en dank. Een kind van negen.

Ik heb oma en opa nooit bij zijn graf gezien. Waarom weet ik niet. Misschien viel ze dat te zwaar. Onlangs kreeg ik een brief van 'tante' Fenny Dijkman, die in 1947 bij mijn grootouders op kamers woonde. Ik kon me haar nog herinneren als de wat chique jonge vrouw, die af en toe bij oma en opa langskwam en in

het Engelse Hastings in een hotel bleek te werken. Ze was niet alleen heel hartelijk maar door haar verblijf in het buitenland ook bar interessant. Ze schrijft over die periode aan de Peizerweg: '*Mijn vriendin en ik werkten bij Kahrels Thee en Koffie. Heer en Mevr. Freriks zochten afleiding en kwamen op het idee een kamer te verhuren met kost en inwoning. Wij werden dan ook helemaal opgenomen in het gezin en je oma kookte heerlijk, vooral haar eigengemaakte tomatensoep op zondag. Zondags 's morgens kwamen Joh en Dini al-*

Jantje, maart 1938

tijd koffie drinken. Er waren beneden twee kamers met een schuifdeur. Maar die ging zelden open. We zaten nooit in de voorste kamer. De her-innering aan je broertje was te veel. Ik geloof niet dat je ouders ooit op bezoek kwamen.'

Het zou goed kunnen dat mijn ouders in die eerste naoorlog-se jaren niet de moed konden opbrengen om naar Groningen te gaan. Niet regelmatig in ieder geval. Mijn moeder had Susanne weleens toevertrouwd dat ze niet hield van die Groningse lo-geerpartijen. Het zal misschien ook te maken hebben gehad met de slechte verbindingen. De kapotte brug bij Zwolle. En verder moest je de eerste tijd om via Emmen. Voor het geld hoefden ze het niet te laten, want als spoorman had mijn vader vrij reizen voor het hele gezin. Het zal ook niet lang geduurd hebben voor ze weer met regelmaat naar het noorden reisden zo gauw dat weer mogelijk was. Met de kinderen en de krenten-bollen. Aan de Peizerweg was ook de voorkamer weer in ge-bruik.

Maar het onderwerp werd niet aangeroerd. Niet in ons bij-zijn in ieder geval. Ik vermoed dat ze het weer gezellig probeer-den te maken. Zoals vroeger. De familie vereend rond een bran-dewijntje met suiker en Grunninger Kouke. En soep. Inderdaad de soep van oma. Die alleen al was een reis naar het noorden waard. Dikke vermicelli, stevige balletjes. Of zoals Joop schrijft *'het bedrijvig rondscharrelen van oma die alsmaar bezig was het je naar de zin te maken.'* En opa die de aardappels schilde en nog al-tijd die knobbel met de 'granaatsplinter' boven zijn linkeroog had. Hij zei er nooit iets over. Wel dat hij *'een bot in het been had'* als hij vond dat je te lang bij hem op schoot zat. Maar dat was een grapje.

Ik turfde er zittend aan het raam de langsrijdende stadsbus-sen. Rood waren ze. Misschien zat ik daar wel net als hij, precies in het schootsveld. Zo'n gedachte moet soms haast wel bij mijn ouders opgekomen zijn. Maar dat spraken ze niet uit. Alles ging er alsof er nooit wat was gebeurd. Alsof die plek zonder zonde

Jantje, april 1938

Jantje en Joke in Utrecht,
november 1938

was. Alles uitgewist. Nooit hebben wij van onze ouders een woord van verwijt gehoord aan het adres van oma en opa. Nooit is in ons bijzijn de schuldvraag gesteld. Ik heb er ook nooit naar gevraagd. Het was een verdwaalde kogel uit *'een nest van verzet,'* zei mama in haar interview. *'Er was misschien iets met een NSB'er,'* opperde ze later, maar ze kon me niet zeggen wat.

Ik sluit niet uit dat er een stilzwijgende afspraak was om het onderwerp verder te laten rusten. En vermoedelijk kon de voorkamer pas weer functioneren als plek van hartelijk samenzijn wanneer 'dat' buiten beschouwing bleef. En dan ging oom Joh nog een keer rond met de fles. En werd er weer gelachen. Ook al weet ik niet hoe spontaan dat was. Mama zal zichzelf hebben verplicht om mee te doen aan de opgewekte gezelligheid in die verdoemde voorkamer. Voor mijn vader, haar schoonouders, haar kinderen. Ze zal haar verdriet voor zich hebben gehouden. In eenzaamheid. Doodongelukkig. Met een blik die als een noodkreet was.

Soms kostte het haar ook moeite om samen met ons het familiealbum door te bladeren dat mijn vader zo precies en liefdevol had bijgehouden. Een dik fotoalbum met zwarte pagina's en pergamijn beschermvellen. Een album dat op gezinsuitbreiding was berekend. Wij stonden er allemaal in met geboortekaartjes en al: Jantje, Joke, Flipje, Suseke. Geboren voor geluk, dat blijkt uit alle foto's. Wij als kinderen bladerden er graag in. Een foto met onze poes Tommie, die meteen een legendarisch familieverhaal in herinnering brengt. Hoe ze in de hongerwinter een heldenrol had gespeeld omdat ze bij verre buren, van wie bekend was dat ze veel op de zwarte markt kochten, een hele bokking voor haar jongen had weggekaapt. Dankzij een open keukenraampje had ze haar slag kunnen slaan. Met de vis in haar bek zag mijn vader haar met veel moeite over de tuinhekjes klimmen. Toen hij haar de bokking had ontfutseld, rende ze terug en dook even later op met een tweede exemplaar, dat mijn vader haar eveneens heeft afgepakt. Bokking in de hongerwinter, stel je voor. Tommie en haar jongen moesten het met de graten en de velletjes doen.

En dan is er plotseling de rouwkaart, apart op één van die brede zwarte pagina's. *'Op den 10 Mei bereikte ons het indroevige bericht dat onze oudste Zoon Jan bij de bevrijding van Groningen omstreeks half April omgekomen is. Den 19den Mei had hij 10 jaar geworden.'* Hetzelfde staat in een rouwadvertentie die op 17 mei 1945 geplaatst werd in *Het Parool* dat nog maar net bovengronds verscheen. In het album zit ook een bedankje, voor de *'welgemeende deelneming'*. Slordig gedrukt allemaal, het was behelpen. Wat het nog treuriger maakt. Onhandige kaartjes van wanhoop en ontreddering. Diep verdriet.

In jaren had ik het album niet meer gezien. Ik voel me weer zoals ik me toen als kind wel voelde. Bedrukt. Ik geloof dat we die bladzij altijd heel snel oversloegen. Alsof we iets zagen dat we niet mochten zien.

Op die fatale zaterdag van 14 april 1945 zaten mijn ouders in Utrecht gezellig met de buren rond de tafel. Ze waren optimistisch, de oorlog liep ten einde. Ik weet hun namen nog precies. Suus en Jan natuurlijk, mijn moeder en vader, Piet en Dini Loos, Martha en Herman van Dijk, Guus en Wim Groot. Allemaal zogenaamde ooms en tantes. Toonbeelden van saamhorigheid. Ze steunden en hielpen elkaar. Ze hadden ieder een 'landje' over de Hoge Brug, waar ze groenten en aardappelen verbouwden. Ze gingen er samen naartoe. Ze hadden nog eens in een greppel moeten duiken, toen de spoorbrug plotseling weer vanuit de lucht werd aangevallen. De animo om daar naartoe te gaan was vervolgens wel een stuk minder geworden, maar het kweekte een band. Toen mijn vader in de gevangenis zat werd er keurig voor hem op zijn stukje land door de buren geoogst. *'Ze hebben me al een maaltje bieten gebracht,'* schreef Oma Zutphen tevreden.

Op den 10 Mei bereikte ons het indroevige bericht,
dat onze oudste Zoon

Jan,

bij de bevrijding van Groningen, omstreeks half April
omgekomen is.
Den 19den Mei had hij 10 jaar geworden.

Zijn diep bedroefde ouders en broertjes:

J. FRERIKS

Joop en Flip.

UTRECHT, 16 Mei 1945.
Poelhekkestraat 7

Ze waren die avond aanvankelijk vol blijdschap zoals blijkt
uit een brief van mijn moeder aan *Lieve Allemaal* in het noorden:
'We kregen een bericht dat Groningen toen al was bevrijd. Hr. Groot
tracteerde ons op een glaasje liqueur en wij klonken op de goede afloop.'
Maar plotseling barstte mijn moeder bij alle vreugde in een
wanhopig huilen uit. *'Jantje is dood,'* snikte ze. Ze wist het zeker,
ze voelde het, Jantje was dood. De anderen probeerden haar dat
uit het hoofd te praten, maar ze was ontroostbaar. Niet tot re-
den te brengen.

Mijn moeder was er later van overtuigd; op die zaterdagavond had ze gevoeld wat er was gebeurd. Precies op dat tijdstip, zei ze, was Jantje getroffen. Ze vertelde het als een geheim.
Alsof ze bang was dat we haar misschien van bovennatuurlijke
gaven zouden verdenken met alle twijfels van dien. Mijn vader
heeft het later niettemin bevestigd; haar plotselinge huilbui
kwam precies overeen met het tijdstip dat hun kind dodelijk getroffen werd. 29

Utrecht
2-2-'44.

Bes de Oma.

Gefeliciteerd met uw verjaardag.
Mama is van plan te komen.
Toen wij terug gingen was het
zoo leuk. Toen wij goed en wel
bij de trein waren. Was de hele
trein zoo ver ik gezien heb leeg.
Papa en Mama namen plaats en
wij gingen kijken voor want
daar was DE MOTOR van de trein wij
konden de wijzers van den motor goed zien, dan reed de trein
op 400 dan weer op 500 dan 600 zoo
op en neer en dan als we bij
een dorp kwamen dan ging
de wijzers op nul, en ging een
lichtje aan dat was de rem, wij hadden het heerlijk. Toen we thuis
kwamen ging Mama gauw eten
koken. Wij hadden een fijne dag
gehad. Vind u het een grote brief?

Nu de groeten van
                    Jopie,
                        Mama,
                Papa en

                    Jan.

Freriks, Poelhekkestr. 7.

Verbinding met Groning
kan hoogstwaarschijnlijk
niet plaats hebben, voor
over een week.

Zelf kunt U nog
vragen bij militair
Geras, Maliebaan
in het voormalig
N.S.B. hoofdkwartier.
de Britsche officier

had voor zij eig[en]
familie selfs ge[en]
drijvende voedselvoor-
ziening prima van
Nijmegen in orde
kunnen krijgen.

Met vele goede
gedachten, in haast
h
Ach.

Daarna had ze *'geen rust meer gehad,'* zoals ze zelf schrijft. Het staat in een uitgebreide brief van zondagavond 6 mei, de dag na de bevrijding. Ze is dan nog onwetend van wat er drie weken eerder is gebeurd. Tot drie uur 's nachts hadden ze feestgevierd. *'De zenuwen moesten eens gelucht worden.'* Ze hadden het raam versierd en waren die ochtend naar een dankdienst geweest. Er was oranje overal. Ze vertelt over *'de sensatie van de grote bommenwerpers die rakelings over ons huis komen want ze werpen de voedselpakketten af op het voetbalveld van UVV over de Hoge Brug. Het was de eerste keer zo'n ontroerend gezicht, die geweldig grote machines die als reusachtige Zwarte Pieten hun pakjes afgooiden boven de mensen die "eten, eten" riepen.'*

Maar angst en bange voorgevoelens overheersen in haar brief. Het was in Groningen minder voorspoedig verlopen dan ze op die veertiende nog dachten. Ze hadden gehoord dat er hevig gevochten was. Naar ze begrepen hoofdzakelijk in het centrum. En dat er huizenblokken ten noorden van de Vismarkt in

vlammen waren opgegaan. Mijn moeder aan haar schoonou
ders: 'U kunt begrijpen hoe groot de teleurstelling was toen we late
hoorden dat Groningen nog helemaal niet vrij was en er hevig werd ge
vochten. Wel honderd maal heb ik me de ligging van jullie huis ten op
zichte van de Vischmarkt en omgeving voorgesteld. Jan zegt steeds da
op de Peizerweg niet gevochten zal zijn.'

Ik lees de eerste zinnen van haar brief. Zo begon ze meesta
Met veel vragen over het wel en wee van iedereen. Maar in di
geval krijgen die zo gewone vragen een heel andere lading. Dra
matisch anders: 'Hoe is het met jullie? Hoe is het met Jantje en Joke
En de anderen allemaal? Zijn jullie allemaal nog in leven en gezond? I
wou dat ik toch maar wist hoe het bij jullie is.' Na het foutieve be
richt over de vroegtijdige bevrijding van Groningen, was mijr
moeder naar het Rode Kruis in Utrecht geweest en 'daar verte
den ze me dat alle uitgezonden kinderen in goede welstand zijn maa
ja, je weet niet of onze kinderen daar ook bij zijn.' En na de verhale
over de bevrijding en de voedseldroppings eindigt ze haar brie
even angstig als aan het begin: 'O God, ik hoop toch maar dat Ja

en Jopie niets mankeeren. Ik hoop vurig tot spoedig ziens.'

Dezelfde avond en de volgende ochtend schrijven mijn moeder en vader vier brieven. Ieder een felicitatiebrief aan Jantje, alvast voor zijn verjaardag op 19 mei. Ze gaan er waarschijnlijk terecht vanuit dat de post, als die tenminste weer werkt, er lang over zal doen. De derde brief is voor beide jongens samen en mijn vader schrijft er nog één aan zijn 'Lieve Ouders'. Brieven die door hart en ziel gaan. Elke zin, bijna elk woord is ingehaald door wat eerst niet meer dan een kwaadaardige hersenschim leek, een nachtmerrie. Nooit eerder had ik die brieven gezien. Ik zal ze ook nooit meer vergeten.

Mijn moeder aan Jantje: 'En nu is het dan eindelijk na den oorlog. Zodra jullie weer thuis komen zal ik mijn belofte houden en een taart bakken. Zeg Jantje, zodra het kan zal mama wat voor je verjaardag sturen hoor!'

Mijn vader: 'Nu word je al tien jaar en dat is een kroonjaar. Zoo noemen de menschen dat. Altijd als er een nul achter staat, dus 10, 20, 30 enz. Ik hoop dat je een prettige verjaardag hebt daar bij Oma en Opa, ten minste net zoo prettig als thuis.'

In de brief aan de twee jongens samen: 'Hebben jullie nog feest gehad in Groningen met de bevrijding?'

In de brief aan oma en opa: 'Lieve ouders, jullie zullen wel gehoord hebben dat ook voor ons het leed geleden is.'

De brieven zijn nooit verstuurd. De onheilstijding werd gebracht voor het postverkeer was hervat.

Van links naar rechts: Oma Groningen, Jantje, Opa Groningen, mijn moeder met Joke, Oma Zutphen en mijn vader op het achterplaatsje in Utrecht, juni 1940

Jantje en Joke op de buitentrap aan de Peizerweg in Gronngen, mei 1943

5 *'Wij dachten dat de kinderen in Groningen veilig zouden zijn,'* zei mijn moeder later in dat al eerder aangehaalde interview. *'Op 14 april werd de stad bevrijd. De Canadezen kwamen daar. De kinderen hadden de hele dag op straat gespeeld en ze kregen chocola en biscuit. De Canadezen praatten met ze. Ze waren dol van vreugde. 's Avonds werden ze naar bed gebracht door mijn schoonmoeder. De oudste mocht met opa nog even voor het raam kijken en daar is hij gedood door een verdwaalde kogel. Ze zeggen dat de kogel werd afgevuurd uit een nest van verzet, dat daar nog zat. Het was alsof ik dit had voorvoeld.'*

Het is in enkele regels het verhaal zoals ik het vele malen heb gehoord. En elke keer voelde het als kloppende pijn. Het was als verdrinken in mama's verdriet. En dan die verdwaalde kogel. Die verdomde verdwaalde kogel die uit het niets gekomen was. Geen oorzaak, geen verband. En dus was het de dood om niets. Gratuit. Nutteloos. Een smerige streek, een stompzinnig ongeluk. We hebben het er onderling even over gehad, over de vraag of oma en opa iets te verwijten viel. Of liever gezegd, dat het ons verbaasde dat we nooit iets van verwijten hadden gehoord. Maar het is een doodlopende weg. Zinloos. Het was oorlog, nevenschade hoort erbij, zeggen ze. Dus eigenlijk een banaal incident. Niet eens een voetnoot in de geschiedenis. Een naam, een nummer op een dodenlijst. Deel van het globale dodental. Twee dagen later stroomden de straten vol met juichende mensenmassa's. De bevrijding was een feit. Het begin van een nieuw leven. Voor oma en opa en mijn ouders was de bevrijding nooit meer feest maar voor altijd herinnering aan de dood van Jantje.

Met het reguliere pelgrimstochtje naar Bilthoven werd Groningen als het ware geschoond, van bloed en doodsherinnering ontdaan. Misschien dat we daarom geacht werden erover te zwijgen als betrof het een onuitspreekbaar familiegeheim. Zand erover, letterlijk.

Pas nu, onderling pratend, komen de vermoedens en veron- 35

derstellingen die nooit uitgesproken zijn. Susanne herinnert zich dat de tochtjes naar het graf vanaf haar elfde of twaalfde veel minder werden. Tegelijkertijd wilde ze er meer van weten. Wat dat verdriet allemaal behelsde. Deelgenoot worden, maar toen waren kinderen nog te klein voor zoiets als grotemensen-verdriet. En hoe dat dan aan te pakken wist ze niet. *'Ik heb in de buik gezeten van een heel verdrietige moeder. Voor mama was het alle-maal te pijnlijk en papa verdrong de dingen onder het motto gebeurd is gebeurd.'* Sloes.

'Papa wilde zijn vrouw beschermen en mama zocht die bescherming ook,' zegt Joop. *'Soms hielp dat ook wel maar vaak ook niet. Papa was mogelijk niet opgewassen tegen haar somberte en angst. Mama had het gevoel dat ze veel van haar verdriet niet kon delen; niet met haar man en evenmin met haar kinderen. Die wilde ze er niet mee belasten. Ach-teraf kan ik vinden dat ze me er meer bij hadden moeten betrekken. Daarvan was ik me destijds natuurlijk niet bewust. Wel was er dat ge-voel van onbereikbaarheid, een onverklaarbare afweer waarvan je zelf last hebt en niet weet wat het is en wat je eraan moet doen.'*

Ik kan me mijn moeder niet anders herinneren dan gereser-veerd als het over Jantje ging. Discreet. Maar in gesprekken met buitenstanders bleek soms hoe 'vers' het verdriet over een lange reeks van jaren blijven kan. Joop herinnert zich de eerste ont-moeting van onze ouders met zijn aanstaande schoonfamilie: *'Eekes vader was recent weduwnaar geworden. Het bracht het gesprek op verlies van dierbaren. Mama vertelde over Jantje. Hoe ingrijpend dat was geweest. Ze kon goed vertellen. Het leek erop alsof ze praatte om haar tranen voor te blijven. Het bleef even heel stil toen ze uitgespro-ken was.'*

Thuis was er altijd die onzichtbare rouwsluier. Hoe knus en beschermd het er ook kon zijn. Met een snorrende kolenkachel, extra broodbeleg op zaterdagavond en daarna de *Showboat* op de radio. Spelen in het Majellapark, aubades voor koningin en vaderland en de melkboer aan de deur. Jantje was altijd wel er-

Mijn vader en moeder met Jantje en Joke in het achtertuintje in Utrecht, juni 1943

gens. Soms werd niet eens zijn naam genoemd, maar bleef het bij een gebaar of een beweging met het hoofd. Of viel er een stilte die veelzeggend was. Mij was duidelijk geworden dat het stilzwijgen doorbreken zou kunnen worden opgevat als koketteren met de dood. Beter niets dan dat.

Mijn moeder en Jantje en Joke op het paard van 'oom' Roelof in Groningen, juni 1943

Jantje met Tommie in Utrecht, december 1943

6 Samen met Joop scharrel ik rond op de Peizerweg. Een gewone laan. Niets bijzonders. Een beetje minder op stand dan toen waarschijnlijk. Op nummer 31, in de gelijkvloerse woning onder die van mijn grootouders, woonde een reder, Hylkema geheten. Dat werd behoorlijk chic gevonden. Hylkema had drie kustvaarders en een grote auto die we daarom 'slee' noemden. Ik maakte tekeningen van zijn schepen, altijd voorzien van een Hollandse vlag die bijna even groot was als het schip zelf. Hollands glorie aan verre kusten. In wier ad'ren Neerlands bloed vloeide was in die tijd geen punt van discussie.

Wanneer er op zondag paardenrennen was in het Stadspark, stond er op de Peizerweg een lange file dure auto's, wat heel bijzonder was in een tijd dat files niet bestonden. '*Rijke boeren,*' zei opa veelbetekenend met nadruk op *boeren*. Volgens hem zaten ze met modderige klompen aan achter het stuur, de boerenpet achter op hun kop. Dat laatste konden wij ook zien, dus moest het waar zijn van die klompen op het gaspedaal. Opa, zelf altijd strikt in driedelig pak gekleed met dasspeld en horlogeketting over zijn volle ronde buik, schoenen glanzend gepoetst, zag een zekere discrepantie tussen de luxe wagens en hun landelijke eigenaars.

We herkennen de etalageruiten van bakker Van der Kooi op de hoek van de Abel Tasmanstraat waar oom Joh en tante Dini woonden. We lopen door de brandgangen waar Jantje en Joke zo vaak hadden gespeeld; overdag hun schuilplaats als er militaire vrachtwagens voorbijkwamen, 's avonds tijdens spertijd onzichtbare vluchtroutes voor het verzet. We proberen uit te vinden waar het balkon van opa en oma was om vast te stellen dat ze vandaar inderdaad uitkeken op het bovenhuis van hun zoon en schoondochter. Ze konden elkaar beschreeuwen als het moest. En dat gebeurde op die avond. Met hartverscheurend gegil. De hele buurt had het gehoord.

Majellapark met linksachter de Majellakerk, februari 1944

Jantje en Joke waren na aankomst vrijwel meteen naar school gestuurd. Het leven ging door, de leerplicht bleef van kracht. Ze stonden geregistreerd als evacués. Het oude schoolgebouw in de Witte de Withstraat is er nog. Iets sociaals geworden. Ze kwamen in een *Donkere Stad* zoals de titel luidt van het boekje met Groningse oorlogsherinneringen van Jan A. Niemeijer die twaalf jaar bij de bevrijding was. '*De straatlantaarns mochten bijna niet branden. Op kruispunten en andere belangrijke plaatsen brandden nog wel lampen, maar zo zwak, zo afgeschermd dat je amper een hand voor ogen kon zien. Trottoirbanden werden wel met witte verf bestreken, zodat je je nog een beetje kon oriënteren, maar het bleef gevaarlijk als je 's avonds nog op pad moest.*' Het zal Jantje en Joke niet hebben verbaasd. In Utrecht was het niet anders.

Jantje had een dag na zijn aankomst wel *vreselijk* overgegeven, zo schreef hij in een brief van 2 maart. '*Ik had te veel gegeten dan mijn maag verdragen kon.*' Waarschijnlijk kwam dat door ondervoeding. In de volgende brieven geeft hij een indrukwekkende opsomming van de hoeveelheden boterhammen en pap die hij naar binnen werkt terwijl opa in de begeleidende brief om bonnen vraagt, want ook in Groningen verslechtert de voedselsituatie door het grote aantal toegestroomde evacués. Alsof het de normaalste zaak van de wereld is, vraagt Jantje en passant ook nog even of *'er de laatste dagen nog bommen bij u in de omtrek gevallen zijn'* en of *'papa de boompjes op het land al heeft omgezaagd.'*

Joop heeft goede herinneringen aan die periode. Ze gingen naar het landje van opa bij de suikerfabriek over het spoor, ze brachten bezoekjes aan oom Joh en tante Dini die altijd zo hartelijk waren. Algemeen bestond het gevoel dat de oorlog nu snel afgelopen zou zijn. De jongetjes deden stoer. Jantje en Joke ook. Als er Duitse soldaten over de Peizerweg marcheerden, *'bleven we soms midden op de weg staan, precies op de plaats waar de ruimte was tussen twee rijen. De soldaten liepen gewoon door, er gebeurde niets. Het werd een soort spelletje. Het leek erop dat ze al aan het wegtrekken waren.'*

Jantje en Joke, april 1944

Op school zaten echte boerenjongens, een soort dat ze in Utrecht nog niet waren tegengekomen. Eén moment is Joop voor altijd bijgebleven. Een boerenjongen die wippend van het ene been op het andere tegen de juffrouw roept: *'Juf, ik mot pissen.'* Op z'n Gronings. Hij moet er nog om lachen. Op de keurige gereformeerde school aan het Majellapark werden dat soort woorden niet gebezigd. Jantje hield zijn ouders regelmatig op de hoogte. Zijn brieven klinken heel wijs voor een kind van negen. Op 11 maart: *'Jopie* 41

is de laatste tijd vreselijk stout. Hij wil helemaal niet luisteren.' En twee weken later: *'Jopie is blijven zitten in den eerste klas. Het was wel een beetje zijn eigen schuld. Hij was te eigenwijs geweest. PS: Jopie kan het niets schelen dat hij niet overgaat.'* Jantje in de rol van oudere broer.

In een brief van 13 maart 1945 schrijft opa dat Joke om *19.15* naar bed moet en Jantje om *20.15* en dat *'Joke daar vrede mee heeft maar dat het Jantje nog weleens te vroeg is, maar bij een beetje strak aanpakken voldoet hij er toch maar aan om aan zijn kuiten te trekken.'* Op 21 maart meldt hij dat de jongens *'de grootste onverstaanbare Groningse woorden al aardig verstaan, dus dat is al een heele boel dat ze zoo zijn ingeburgerd. Jantje rekent zich dan ook al bij de grote jongens en vraagt dan ook nog wel om 's avonds na het brood eten nog een half uur of drie kwartier naar buiten te mogen. Maar hij moet uiterlijk 19.30 in huis zijn.'* Jantje had nog drie weken te leven, maar dat kon niemand weten.

Joke en Jantje en mijn moeder en Oma Groningen op de trap aan de Peizerweg, april 1944

Joop herinnert zich contouren zonder invulling. Hij zou Jantje willen terugzien zoals hij was. Zijn gelaatstrekken, oog, mond, manier van doen, spreken, lachen. Al was het maar om mij een plezier te doen. Een typering te kunnen geven. Maar het beeld is weg. *'Ik herinner me bepaalde momenten, maar ik zie zijn gezicht er niet bij. Dat kan ik niet meer terughalen.'* Ik zie dat hij zijn best doet. Maar met de tijd zijn de beelden gewist. Als op een oude videoband. Alleen nog vormeloze schaduwen die bewegen. Hij ziet zichzelf bij Jantje achterop de fiets, op weg naar de gaarkeuken in Zuilen. Daar gingen ze twee keer per week naartoe. Nog een hele rit. '*Jopie en ik gaan twee maal naar de Kinderkeuken, op dinsdag en op zaterdag,*' schreef Jantje opgewekt op 6 januari 1945 aan Oma Zutphen en Oom Ben. Grote lange tafels met heel veel kinderen. Pap met dikke, afschuwwekkende klonten. Er was een katholieke juffrouw die '*met open ogen bad*'. Voor protestantse jongetjes een openbaring. '*Wees gegroet Maria, vol van genade. Klats met een plens de pap op je bord. Bid voor ons zondaars en… klets volgende bord… in het uur van onze dood. Amen.*' Joke hield niet van die pap. '*Jantje zei dan, geef maar aan mij. Ik zie alleen nog dat bord pap verdwijnen, maar hem zie ik niet.*' Hij ziet wel mama en papa aan tafel als ze terugkwamen. Ze aten bietjes. Jantje tevreden, Joke hongerig. Er was alleen nog een korst verzuurd brood over. Jokes avondmaal. Hij voelde zich tekortgedaan.

Jantje meldt in dezelfde brief: '*We zijn naar boven verhuisd. Het* 43 *is er klein maar gaat toch heel goed. We hebben de tafel uit elkander genomen, en hem zoo door het raam naar boven geheschen. De stoelen en naaimacine gingen allemaal over de trap. We doen het voor de warmte.'* Hij formuleert goed, had een mooi helder handschrift.

Zelfs als Joop zich weer het moment van paniek herinnert, toen er een luchtaanval kwam terwijl Jantje en hij door het Majellapark liepen op weg naar de kapper in de Van Koetsveldstraat, komt het gezicht van zijn oudere broer niet terug. Niet van de broer die nog in leven is. Ook hij moet het doen met de foto op het nachtkastje naast het bed van onze ouders. Of met die uit het fotoalbum dat altijd is bewaard. Ja, ze waren toen wel even heel bang geweest. Ze hadden de bommen zien vallen. Ze waren bedoeld voor het buurtstation dat vlakbij was.

In mijn verbeelding zie ik die twee in wilde paniek door het park rennen. Wegwezen. Dekking zoeken. Dat keurige park waar ik later eindeloos heb gespeeld. Waar het een sport was om de parkwachter te pesten. *Parkpik* zoals wij hem noemden. Joke zal misschien wel van angst hebben gehuild. In alles wat mijn moeder had bewaard, en ze bewaarde werkelijk alles met inbegrip van kleertjes en schoentjes die nog van Jantje waren geweest, vonden we hun tekeningen uit die oorlogsjaren terug. Met soldaten, tanks, vliegtuigen, luchtgevechten, ziekenwagens, brancards. In het schetsboek van Jantje staat een veelzeggende tekening over de avondklok met de tekst: *'Als je niet om acht uur binnen bent, dan krijg je kogel'.* Daarnaast de toren van de Majellakerk. Hij tekende graag luchtgevechten, boven Arnhem en Parijs dat al bevrijd was. Het leefmilieu van kinderen in de oorlog. Als vanzelfsprekend gereproduceerd.

Ze hadden genoeg voorbeeldmateriaal. De hele oorlog door werden pogingen ondernomen om de spoorbrug over het Amsterdam-Rijnkanaal te bombarderen. Hij lag op nauwelijks een paar honderd meter afstand van ons ouderlijk huis. In het Majellapark, dat vijftig meter verder op de hoek begon, stond afweergeschut. Bediend door sjofele soldaten op leeftijd. In een brief aan *Moeke en Ben* van 17 juni 1944 – 11 dagen na het begin van de invasie in Normandië dus – schrijft mijn moeder dat *'het hele Majellapark in beslag is genomen door de Duitsers. Veel struikgewas en bloesem vernield en daar hebben ze allemaal auto's verdekt in opgesteld. Verder een oude autobus waar ze in bivakkeren en koken en je mag er op straffe van de kogel niet in komen.'* Op 9 september van dat jaar schrijft ze een *'emotievolle week'* met *'veel geruchten'* achter de rug te hebben. Het was de week van Dolle Dinsdag, 5 september. Antwerpen was de dag ervoor bevrijd. Het kon niet lang meer duren. Maar toch. *'Het is nog steeds onrustig in de lucht en wordt er veel vanuit vliegtuigen geschoten op troepen en treinen die hier in de buurt voorbij komen. Van de week heb ik tenminste al met de drie jongens in het keldertje gezeten. Jan zegt echter dat ik dat niet hoef te doen als ze alleen schieten, voor bommen is dat wat anders.'*

Dat minuscule keldertje voor de wekflessen en later een rekje met een tiental flessen wijn toen ik ze een Franse leefwijze had opgedrongen. De stofzuiger stond er en de broodtrommel op de planken langs de muur. En het kistje met schoenpoetsspullen. Veel meer plek was er ook niet. Hoe mijn moeder zich daar met ons drieën wist op te bergen is me een raadsel. Eigenlijk was het niet meer dan een gewone gangkast die tegen bommen geen enkele bescherming bood.

Ik denk nu ook te begrijpen waarom ik in mijn prille jeugd zo bang was als er vliegoefeningen waren met toestellen die op Soesterberg waren gestationeerd. De vliegtuigen draaiden bij ons boven. Doken naar beneden en trokken dan weer op. Alsof ze het weer op de spoorbrug hadden gemunt. Het waren nog propellervliegtuigen met het scherpe indringende gehuil van een sirene. Zoals in films. Het geluid van oorlog. Heel bedreigend. Toen de eerste straaljagers kwamen, was het over. Meer lawaai, ander geluid. Ik heb nooit piloot willen worden.

Volgens mijn moeders brief had mijn vader voorspeld dat de oorlog op 15 september voorbij zou zijn. Was dat maar waar geweest. Maar de slag om Arhem moest nog komen met de be-

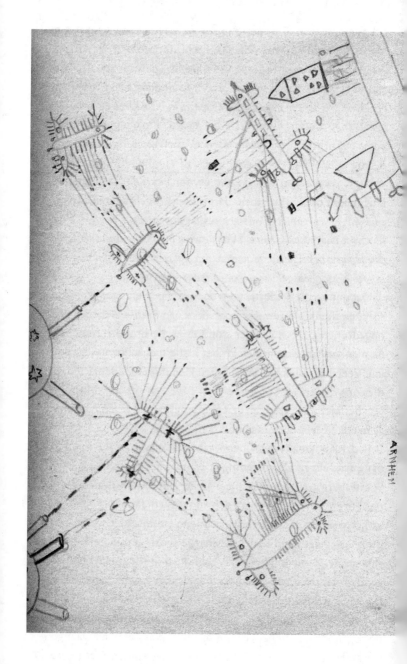

ARNHEM

Als je
binnen bent
Dan krijg je de kogel
HET REGENT
WAT ZEG IE!!
HANDEN OMHOOG OF IK SCHIET!
PANG

Jantje en Joke tonen de jongen van Tommie, juni 1944

ruchte brug die er één te ver zou blijken te zijn. Bij de familie Pohl, schuin aan de overkant en pal tegenover het park, werden de kinderen samengebracht als er razzia's waren en de mannen moesten onderduiken. De brug werd nooit geraakt, wel veel schade in de omgeving. Doden en gewonden. Vooral in de Schepenbuurt. Als gediplomeerd EHBO'er ging mijn vader er telkens naartoe met zijn grote, houten verbanddoos. Eerste hulp bij ongelukken.

7 Met Susanne ben ik op bezoek bij de hoogbejaarde mevrouw Houwen (90) op nummer 41 van de Peizerweg. Vijf nummers verwijderd van 31a, waar opa en oma woonden. Ze kenden elkaar van gezicht, groetten elkaar zoals nette buren betaamt. Meer niet. Haar man, Reinder Paul Houwen, bekend onder de schuilnaam 'Bob', was een van de belangrijkste Groningse verzetslieden. Ze waren niet op de Peizerweg toen de gevechten uitbraken, ze zaten elders ondergedoken. Ik realiseer me dat ik er vaak op de stoep voor hun deur heb gespeeld in zalige onwetendheid. Wist je veel als kind. Hun zoon Deddo heeft de leeftijd van Joop. Misschien hebben ze op oudejaarsdagen wel samen met carbid gevulde moeren tegen de stoeptegels gesmeten. Dat gaf een harde klap. Vuurwerk op z'n Gronings. Iedere jongen deed dat rond die dagen. Ze kunnen het zich niet herinneren.

En toch is er sprake van een curieuze samenloop van omstandigheden. Zo een die de cirkel rondmaakt. De spectaculaire ontsnapping van 'Bob' uit het Groningse Huis van Bewaring na zijn arrestatie door de Duitsers, had deels als basis gediend voor de eerste grote Nederlandse oorlogsfilm, *De overval* van de Brit Paul Rotha met Rob de Vries, Kees Brusse en Yoka Berretty in de hoofdrollen en Lou de Jong als co-scenarist. De film kwam in 1962 uit. Dat was een belangrijk evenement. Aanleiding voor veel discussie. De film werd gezien als een boodschap aan de onwetende en toen ook al 'onverschillige' jeugd. Ik schnabbelde als middelbaar scholier bij *Het Vrije Volk* en moest voor de krant een discussie organiseren over wat de oorlog de jongeren nog zei. We kregen gratis bioscoopkaartjes om de film eerst te zien, dat was mooi meegenomen. *De overval* maakte een diepe indruk op me vanwege één scène die me altijd is bijgebleven. Het fusilleren van een jongen van mijn leeftijd. Maar het ging niet om mij. In zijn plusfour en met zijn kortgeknipte haar leek de jongen op Jantje als die Jan zou zijn geweest. Het was alsof mijn broer voor de tweede keer werd doodgeschoten. Geen idee dat

Mijn moeder, Jantje, Joke en ik in de kinderwagen, augustus 1944

er een lijntje liep naar de Peizerweg. Bob leefde nog. Heel druk met het opzetten van een verzets- en oorlogsarchief. Hij overleed eind november 1982, 69 jaar.

Die ochtend heeft mevrouw Houwen ook haar overbuurvrouw Bep Walstra (83) op bezoek. Ze woonde destijds, als 23-jarige Rode Kruisverpleegster 1e klas, pal tegenover mijn grootouders op nummer 38, naast de NSB'er Meijer die huizen van joden leeghaalde. *'Als er bijvoorbeeld van die mooie dure lakens te drogen werden gehangen, wist je wel weer hoe laat het was. Dan zeiden we, oh hij is weer op stap geweest.'* Haar vader liep wacht langs het spoor, samen met mijn grootvader om te voorkomen dat er kolen uit de opslag gestolen werden. Iets verderop, op 46, woonde de beruchte politieluitenant Anne Jannes Elsinga. Als geen ander jaagde hij voor de Duitsers op onderduikers en verzetslieden. Toen hij weer een groep dreigde op te rollen, werd tot zijn liquidatie besloten. Op oudejaarsmorgen van 1943 werd hij bij zijn huis opgewacht door twee broers, Reint (23) en Piet (21) Dijkema. Vlak voor de Eendrachtsbrug werd Elsinga dodelijk getroffen. Als represaille schoten de Duitsers nog diezelfde nacht zes onschuldige burgers dood. Reint werd gepakt en gefusilleerd. Elsinga's moeder zou later zeggen: *'Ze hadden hem eerder dood moeten schieten.'*

Nee, veel schade was er op de Peizerweg niet geweest. Een paar kapotte ruiten her en der. De bomen waren verdwenen, dat wel, opgestookt in noodkacheltjes. Later waren er Canadezen voor een tijdje ingekwartierd. Ook bij Walstra en Houwen. Ruwe lieden die zomaar hun peuken op de vloer uitdrukten of bezopen thuiskwamen. *'Dan kwamen ze er bij mijn moeder niet in,'* zegt Bep beslist.

Er was me ook verteld over Duitse krijgsgevangenen die in de goederenhal van het handelshuis Stokvis op de hoek van de Paterswoldseweg, Eendrachtskade en Witte de Withstraat werden

De Peizerweg in 1944 voordat de bomen werden omgehakt

samengebracht. Bij de ingang zou een brede Canadese soldaat hebben gestaan die met een grote trektang alle gouden tanden van de binnengebrachte krijgsgevangenen uittrok. Of het waarheid is of gerucht weet ik niet. Maar het geeft wel aan hoe er in de buurt aangekeken werd tegen de Canadese militairen. Bevrijders, zeker, maar het was geen lolletje.

Jantje en Joke zijn nauwelijks twee maanden bij opa en oma in Groningen als de gevechten om de stad losbarsten. Op een vrijdag de dertiende. *'Vanuit luidsprekerauto's werd gewaarschuwd,'* schrijft Jan A. Niemeijer. *'De gevechten om de stad gaan beginnen. Iedereen moet in de huizen gaan. Wie zich nog op straat bevindt, zal worden doodgeschoten.'*

Het was een mooie zonnige voorjaarsdag. Geen Gronings grijs. *'Een dag die in meer dan één opzicht deed denken aan 10 mei 1940,'* aldus mr. W.K.J.J. van Ommen Kloeke in zijn standaardwerk *De Bevrijding van Groningen* uit 1945. Hij vervolgde: *'Op vrijdagmiddag 13 april half vijf weerklonken de eerste rommelende paukenslagen van het oorlogsorkest aan den zuidrand der stad. Het doek ging omhoog voor een bloedig schouwspel: de dramatische bevrij-*

ding van Groningen.' Wat hij zegt. Vier dagen lang werd er zwaar gevochten. De Duitsers boden fanatiek tegenstand. Een kansloos gevecht. Nutteloos. Met grote verwoestingen in de oude binnenstad. Vooral rond de Grote Markt. Het Scholtenhuis in puin als straf van hoger hand. Ik zelfs kan me de resten van de kapotgeschoten huizen en gebouwen herinneren. Gapende gaten. Er sneuvelden 40 Canadezen, 130 Duitsers en 110 burgers. Jantje staat keurig in de officiële lijst van slachtoffers. Op alfabetische volgorde. Nummer 27. *Jan Freriks, 9 j., Peizerweg 31a (evacué)*. Zes woorden. Woorden die me altijd even uit balans brengen. Als door een lichte stroomstoot getoucheerd. Onmerkbaar voor anderen. Een restje van mama's verdriet. Ik kom de zes woorden nog weer tegen in de *Nieuwe Provinciale Groninger Courant* van 30 april 1945. *'De verjaardag van prinses Juliana,'* staat er vlak boven.

De Canadese troepen waren met drie divisies opgerukt vanuit het zuiden. Ze hadden al in Duitsland slag geleverd en waren via de Achterhoek en Twente weer de Nederlandse grens overgekomen. Assen was zonder slag of stoot bevrijd. De tweede divisie ging meteen door naar Groningen en trok die vrijdagmiddag de buitenwijken binnen, in een tangbeweging over de Paterswoldseweg waar flink tegenstand geboden werd en over de provinciale weg vanuit Peize. Op zaterdag de veertiende maakten beide groepen contact met elkaar. De straat van mijn grootouders was de verbindingsweg. Er werd slag geleverd om de suikerfabriek waar een aantal Duitsers zich had verschanst. Tanks en allerlei andere legervoertuigen kwamen bij opa en oma langs. Soldaten te voet ook. Aan alles was te zien dat ze al maanden onderweg waren. Soldaten die de dood al vele malen in de ogen hadden gezien. Met een mengeling van bravoure en nonchalance. Jongens met branie. Ze bezetten het Stadspark nadat de Duitse soldaten er halsoverkop hun barakken hadden verlaten.

Ook van die gevechten herinnert Joop zich niet meer dan flar- 53 den. Een Canadese soldaat die een huis intrapt aan de overkant, bij de NSB'er Meijer naast de familie Walstra. Een gesneuvelde Duitse soldaat op de hoek van de Paterswoldseweg. Wat dus bevestigt dat mijn broers de straat op waren geweest terwijl de gevechten nog gaande waren. Ook Jantje moet die dode soldaat nog hebben gezien, want de foto die Joop herkent in het boek *Vier dagen in april* dateert van zaterdag de 14e overdag. Een paar uur voor Jantje zelf getroffen zou worden.

Een van de auteurs van *Vier dagen in april*, B. van Leusen, is even oud als mijn broer Joop en woonde in de Jan Lutmastraat, een zijstraat van de Herman Colleniusstraat, tussen het Eendrachtskanaal en het Reitdiep. Nog geen kilometer van de Peizerweg in noordelijke richting. Hij was eveneens zeven jaar op het moment van de bevrijding. *'Ja, ook kinderen gingen de straat op. Ervaring met gevechten hadden de mensen niet. Als het weer even rustig was, dachten ze waarschijnlijk dat het afgelopen was. Totdat het tegendeel bleek. En dan was het wegwezen. Ik herinner me ook de gierende geluiden van de overkomende granaten en de explosies vlakbij ons huis. Dat is een harde, dacht ik dan...'*

Vooral een groepje Duitsers in een portiek had veel indruk op Joop gemaakt. Ze zwaaiden met een witte vlag en waren kennelijk doodsbang. Ze durfden niet naar buiten te komen om een gewonde kameraad op te halen. Bang dat er op ze geschoten zou worden.

En dan vervaagt het beeld weer.

'Door onze ervaringen in Utrecht waren we wel degelijk doordrongen van het gevaar,' zegt Joop. Opa en oma hadden hun twee kleinzoons verboden om bij het raam aan de straatkant te komen. Ze mochten aanvankelijk niet naar buiten maar gingen uiteindelijk toch de straat op. Net zoals B. van Leusen elders in de stad. Ook op de Peizerweg hielden veel buurtbewoners het in huis niet uit zo gauw er een gevechtspauze intrad. Dan gingen ze kijken bij de soldaten die met mitrailleur en al in stelling lagen. Of

het al zover was. Het ongeduld om eindelijk de bevrijding te kunnen vieren was groot. Zo moeten Jantje en Joop dus ook hebben gezien wat er zich op de hoek van de Paterswoldseweg afspeelde.

'*Door op een crapaud te klimmen konden we door een vierkant zij-raampje naar buiten kijken,*' herinnert Joop zich. Toen had hij die Canadees gezien die de deur intrapte. Van een toenmalige buurjongen horen we later dat de soldaat binnen een geldkistje had gevonden. Hij had het opengeschoten en was er met de inhoud vandoor gegaan. Oorlogsbuit. Zo zijn er talloze anekdotes over de Canadezen in de buurt. Ook over dat bordje in een provisorisch bordeel voor de bevrijders met het opschrift: '*Don't piss in the wasbak…*'

Bep Walstra hoorde het op die zaterdagavond van haar moeder. '*Oh lieve God, er is een kindje doodgeschoten aan de overkant.*' Haar dochter had niets gemerkt behalve dan dat de Canadezen de huizen hadden doorzocht en de deur van de buurman hadden ingetrapt. Later werd in de buurt verteld dat het kind wegens gebrek aan houten doodskisten in een kartonnen doos lag opgebaard.

8 We rijden naar Peize via de overweg aan het einde van de straat. Automatische spoorbomen nu. Een keurige middenberm. Toen zat er nog een overwegwachter in een hok met een oliekacheltje en een telefoon die met een slinger werd bediend. Een slordig geheel met klepperend hout tussen de scheefliggende sporen. Eén richting Leeuwarden, de ander in een brede bocht naar Delfzijl. Als de bel rinkelde was dat een waarschuwing van de collega verderop dat de trein bij hem was gepasseerd. Dan moesten de bomen gesloten worden, buiten, met de hand. Zondagen lang heb ik in dat hok doorgebracht met de dienstdoende overwegwachter. Kind van het spoor. Een jonge Freriks, die stuurden ze niet zo maar weg. Ik mocht de spoorbomen sluiten, wat ik als een zeer gewichtige taak beschouwde. Helaas was er op zondagen slechts één keer in de twee uur enige beweging van aankomende en vertrekkende treinen. Maar dan moest er ook gewerkt worden. Bomen dicht, bomen open, bomen dicht. In mijn enthousiasme sloot ik een keer de bomen te vroeg. Ik had per ongeluk een auto ingesloten terwijl voor de aanstormende Blauwe Engel al gepingeld was. De overwegwachter greep vloekend in, een ware bloemlezing van krachttermen declamerend. De auto was net op tijd weg. Ik ook.

Ik zie dat de suikerfabriek veel dichter bij de weg ligt dan ik mij herinnerde. Nu begrijp ik het strategische belang en waarom er zo fel om gevochten is. Als kind sliep ik bij opa en oma vaak op zolder en dan hoorde ik het indringende gezoem van de suikerfabriek. Dat maakte me bang. De volgende ochtend stapte ik dan weer opgelucht de slaapkamer van mijn grootouders binnen om samen met Suseke gefascineerd toe te zien hoe opa zijn Tonia met veel gezucht en gesteun in het omvangrijke korset reeg.

Ik vroeg me later af of dat angstaanjagende gezoem geen verbeelding was. Nu blijkt dat de fabriek inderdaad binnen gehoorsafstand staat. Het gezoem stond voor oorlog. Niet dat ik daar een concrete voorstelling van had. Het was iets monsterachtigs dat je bij de keel greep, iets dat zich afspeelde in het schemerduister. *Nacht und Nebel* voor ik er ooit van had gehoord. Zo stelde ik me Duitsland ook voor, een land in permanente staat van zonsverduistering. *Götterdämmerung.*

Toen ik 13 was gingen we met vakantie naar *der Spessart,* een bosrijke streek voorbij Frankfurt. De fietsen gingen mee wat nog een heel gedoe was. Nu nog vragen we ons af hoe mijn vader op dat onzalige idee van die vakantie in Duitsland is gekomen. Misschien vanwege zijn goede herinneringen aan hun huwelijksreis naar Luxemburg vanwaar ze een uitstapje naar Trier hadden gemaakt. Hij vertelde altijd vol trots dat een groepje dames zich bij hen had gevoegd en hij als een tijdelijke reisleider was opgetreden. En zo was hij ook door de Duitse grenspolitie tegemoet getreden. '*Sind Sie der Führer?*' Wat mijn vader vervolgens had beaamd.

Tijdens onze eerste buitenlandse vakantie in Frankrijk, het jaar daarvoor, had hij zich niet op z'n gemak gevoeld. Hij sprak de taal niet. In het Duits kon hij zich wel redden en had dus greep op de dingen. Althans dat dacht hij. Maar voor mijn moeder was Duitsland nog een stap te ver. We waren nog niet ver-

De vier buurmannen op het landje, van links naar rechts: Herman van Dijk, mijn vader, Wim Groot en Piet Loos in 1944

trokken of ze werd doodziek. Zware migraine zoals ze dat wel vaker had als de stress toesloeg. Van de weeromstuit werd ook Susanne getroffen door een geheimzinnige kwaal. Onze coupé was een ziekenboeg, de treinreis door Duitsland een bezoeking. Ik zag overal kapotte gebouwen, puin, oorlogsresten.

Ons vakantieadres was een *Gasthaus* met beneden een als gezellig bedoelde *Stube*. Houten lambriseringen, harde rechte banken. We hadden half pension en zouden daar dus elke dag moeten ontbijten en het avondeten gebruiken. Mijn moeder wilde er allang niet meer van weten. Ze lag uitgeteld op bed en Susanne kon alleen maar uitbrengen dat ze zich zo 'naar' voelde. Ik vond dat ze zich aanstelde en onze vakantie verprutste.

Die avond aten mijn vader en ik een schnitzel; dat weet ik nog. Ik liet het me goed smaken. Daarna ben ik nog even naar buiten geweest voor het donker werd. Samen met mijn vader. We keken uit over eindeloze dennenbossen, die van de eeuwig zingende soort. Ze leken te verdwijnen in een waas van nevel. Het was stil. Af en toe het aanzwellende gezang van de bomen, wat me deed denken aan het verre geraas van een trein. Bilthoven. Ik weet nog dat ik heel melancholisch werd. Bevangen door de schoonheid van het landschap en een gevoel van ongemak. *Unheimisch.* Duitsland had ons bij de keel.

Nog diezelfde avond rekende mijn vader ons hele verblijf af. Hij wilde maar één ding, zo gauw mogelijk weg. De volgende ochtend vroeg zaten we alweer in de trein. Met de fietsen. Overstappen in Frankfurt, waar we nog even op het stationsplein voor een foto hebben geposeerd. Het werd een gezellig reisje langs de Rijn. Mijn moeder fleurde zienderogen op, Susanne was niet misselijk meer. De aankomst in Utrecht was als de terugkeer in een verloren land.

We aten bij Van Angeren in de Viestraat: vlees, aardappelen en drie groenten. Dat was waar voor je geld, vond mijn vader.

Mijn moeder lachte weer.

We waren aan Duitsland ontsnapt.

Veel later, bij een bezoek aan het nog gedeelde Berlijn, kwam dat *unheimische* gevoel weer terug. Een mengeling van fascinatie en ongemak. Vooral aan de DDR-kant met z'n snauwende grenswachten, de lege kapotte straten, muren met kogelgaten, het sombere Bahnhof Friedrichstrasse met z'n *Tränenpalast* voor afscheid zonder terugkeer. Een stad in een andere tijd, een stad in oorlog.

Na de val van de muur, heb ik er een maand gelogeerd op uitnodiging van het Goethe Institut. Iets in het kader van verbroedering tussen Oost en West. Ze noemden ons *Multiplikatoren, vermenigvuldigers*, wat we niet al te bijbels moesten nemen. Mijn *Gastgeber* en *Gastgeberin* woonden vlakbij het station Warschauerstrasse, dat sinds de jaren twintig niet echt was veranderd. Of het moest de moderne kiosk voor kranten en Bratwursten zijn die bovenaan de trap van grijs cement troonde als een te kleurige vlag op de postcommunistische modderschuit. Het rook er vooroorlogs naar bruinkool. Het emplacement was leeg, de omliggende fabrieken deels in puin, deels ontmanteld. Een industrieel kerkhof. Van de gebombardeerde Oberbaumbrücke over de Spree stonden aan weerszijden alleen nog de bruggenhoofden overeind. De rest zichtbaar afgeknapt.

We gingen tango dansen in de restanten van het beroemde Esplanadehotel, het enige gebouw dat op de donkere vlakte van de Potzdammerplatz overeind stond. Als in een niemandsland zonder god of gebod. Resten van de wereld van voor de ondergang. Bijna alles was kapot, bladderende muren, flakkerende lampen. Met als enige luxe het *Kaiserpissoir* waar zijne majesteit destijds alle ruimte voor zijn lid alleen had. Het stonk er alsof na zijn laatste passage niemand ooit nog doorgetrokken had.

Het was als dansen op de vulkaan. Er werd champagne gedronken en iedereen keek naar een jonge vrouw die al tango dansend de liefde leek te bedrijven. De bandoneon kreunde en steunde voor haar en ze genoot van al die mannenogen die ongegeneerd langs haar vormen gleden. Ik verwachtte elk ogenblik een luchtalarm en de binnenkomst van zwartgeklede mannen met hoge petten. Bij het Goethe Institut kreeg iedereen de vraag voorgelegd welke gedachte als eerste opkwam bij het begrip 'Berlijn'.

'*Angst,*' antwoordde ik zonder ook maar een seconde na te denken. De angst die ik kende van de zolder bij opa en oma. Overdag was Groningen vakantie, 's nachts was Groningen Berlijn.

De door de Panzerfaust *uitgeschakelde tank op de Paterswoldseweg, april*
1945

9 We gaan kijken op de Paterswoldseweg, aan de andere kant van het spoor, waar een Fireflytank op vrijdag 13 april rond half zeven 's avonds door een *Pantzerfaust* was uitgeschakeld en vervolgens het huis op 188 was binnengereden. Een van de vier mannen in de tank kwam om. Het staat er op een herdenkingsplaat. In *Vier dagen in april* staat een foto van de Firefly in het voortuintje. Nieuwsgierigen kijken toe. *'Gaten aan de achterzijde van de tank en daarboven in de muur getuigen van de beschieting van achteren met een 20 mm Flak'*, meldt het onderschrift. Een wonder dat er in dit geval maar één man is gesneuveld. Mij vallen links op de foto twee jongetjes in te lange donkere jassen op. Jongetjes in de leeftijd van Jantje. Armoedig. In verstelde afdankertjes. Zo zagen ze er dus uit in die miserabele oorlogstijd. De twee kijken naar de verwoestingen. Gefascineerd ongetwijfeld. Oorlog was spannend. Het is zoals Joop vertelde, de buurt liep uit. Kinderen incluis. Met de foto in de hand zien we dat er in zestig jaar weinig of niets veranderd is. De ramen, de uitbouw, het voortuintje; het is allemaal keurig in oude staat hersteld. Als voor de oorlog.

Zo is het verderop ook. Hele huizenblokken aan de Paterswoldseweg waren zwaar beschadigd. De Duitsers hadden zich in de woningen verschanst. Als Suseke en ik een paar jaar later naar het Stadspark lopen, is er niets meer van te zien. Pas nu besef ik me wat zich daar heeft afgespeeld op die 13e en vooral 14e april. Alleen de herdenkingsplaat op nummer 188 herinnert nog aan de gevechten van toen. Met een speciaal eerbetoon voor Fred Butterworth uit Winnipeg, bestuurder van de FGH-tank, de Fort Garry Horse zoals zijn legeronderdeel heette. *'Hij gaf als eerste van de ruim 40 gevallen bevrijders van onze stad zijn jonge leven voor onze vrijheid.'*

Volgens Van Ommen Kloeke hadden de Canadezen nog diezelfde avond het hele Stadspark in handen. In de loop van zaterdag bereikten ze het station. Een Shermantank vuurde vanaf het tweede perron op alles dat over het Emmaviaduct kwam.

Door tankvuur beschadigde huizen aan de Paterwoldseweg

Onderaan de Peizerweg, precies in de knik op de Paterswoldse-weg, stond een 20 mm Flak die vanaf half negen 's ochtends in actie kwam. Daar ook heeft Joop die dode Duitse soldaat zien liggen. Op de foto herken ik vooral de kinderhoofdjes die nog ver na de oorlog als bestrating hebben gediend. Na de gevech-ten wordt de Flak teruggevonden op de Peizerweg, een klein stukje verderop. Waarschijnlijk had hij al zuidelijker gestaan, bij de overweg onder meer. Daar komt de Royal Hamilton Light Infantry rond half drie aan. Vanuit de Peizerweg gezien ligt de overweg achter de sigarettenfabriek van Theodorus Nie-meyer. In mijn kinderjaren stond daar een meer dan manshoge houten matroos op het dak die echt rookte als de fabriek op vol-le toeren draaide. Tabaksgeur in plaats van brandende koffiebo-nen. Een goed alternatief.

De gevechten gaan in volle hevigheid door op hemelsbreed tweehonderd meter afstand van het huis van mijn grootouders. De Paterswoldseweg is een van de belangrijkste verbindingswe-gen tussen het zuiden van de stad en het centrum, met de basculebrug aan de Eendrachtskade, vlak om de hoek bij de school in de Witte de Withstraat. De brug is opgetrokken. Het brugwachtershuisje hebben de Duitsers in gebruik genomen als *'weerstandsnest'* dat nog een hoop narigheid teweeg kan brengen. Pas tegen zes uur 's avonds hebben de Canadezen de zuidkant van de basculebrug in handen. Drieëneenhalf uur om driehonderd meter af te leggen, terwijl de Duitsers met hun lichte bewapening nauwelijks of geen kans maakten tegen de moderne oorlogsmachinerie van de Canadezen. Het ontbrak de bezetters aan tanks en zwaar geschut. De Canadezen hadden bovendien uitstekende radioverbindingen tussen de tanks onderling en met hun commandoposten. Zo gauw ze een straat of wijk onder controle hadden, werden er telefoondraden uitgerold. Ze maakten zelfs gebruik van langzaam vliegende verkenningsvliegtuigjes die konden aangeven waar er precies geschoten moest worden en of er ook doel was getroffen. Van de zes- tot zevenduizend man Duitse troepen – vaak oudere mannen of heel jonge jongens – hadden de meeste zich het liefst zo snel mogelijk overgegeven. Maar een groep fanatieke SS'ers en NSDAP'ers waren vastbesloten om de strijd tot het bittere einde uit te vechten.

De Duitsers trekken zich steeds verder terug, het Eendrachtskanaal en het Hoendiep over. De Eelderbrug richting Emmasingel en station wordt om 12 uur 's middag opgetrokken en vernield. Daarmee was volgens Van Ommen Kloeke de Zeeheldenbuurt, met de Peizerweg als voornaamste verkeersader, *'in een dooden hoek'* komen te liggen. Een dode hoek die niettemin gezuiverd diende te worden *'omdat van hieruit een Duitsche tegenstoot mogelijk bleef.'*

En dat bleek ook. Aanvankelijk waren de Duitsers met rubberbootjes het Eendrachtskanaal over gevlucht bij de *Frieschen Straatweg* maar na verloop van tijd waren ze weer op dezelfde manier teruggekomen. *'De dreigende pistolen van enkele SS-mannen waren aan deze opleving van hun moed niet vreemd geweest,'* schrijft Van Ommen Kloeke. De Duitsers waren vanaf het eind van de middag weer in de straten waar de bewoners zich al bevrijd waanden. Uit de Canadese logboeken blijkt dat er sluipschutters waren gesignaleerd.

Lang heeft die nieuwe bezetting niet geduurd. Van Ommen Kloeke: *'Om negen uur 's avonds ruimde een tank met enkele welgemikte schoten achtereenvolgens de Duitsche posten bij de sluis en de basculebrug op en maakte daarna met de 20 mm Flak aan den Frieschen Straatweg korte metten, waarbij de bediening een onverwachten dood stierf. De geheele buurt ten zuiden van het Eendachtskanaal kon nu blijvend worden gezuiverd.'*

Zaterdagavond, negen uur. De Zeeheldenbuurt is vrij. Bij het huis aan de Peizerweg stromen buren samen. Ze hebben het gegil van oma gehoord, haar wanhopige geschreeuw vanaf het achterbalkon naar haar zoon Joh. Jantje ligt dood naast de schuifdeuren, aan de kant van de achterkamer. Doodgebloed in luttele seconden. Een paar stappen had hij nog gemaakt en was toen in elkaar gezakt. In het voorraam zitten kogelgaten. En ook in de zijmuur links op de plek waar een kitscherig schilderij met een heidelandschap hing.

10 Op een kil kamertje in een verpleeghuis bij Amersfoort ontmoet ik Coosje Visscher. Er staat niet meer dan een bed, een kast, een tafeltje met een tv-toestel, een paar stoelen. Niets aan de muur. Ze heeft uitzicht op een plat dak met grint. Tachtig jaar is ze en ziet haar leven gereduceerd tot een kale drie bij twee meter. Ook al zijn ze daar 'heel aardig in het gesticht', zoals ze zegt. Het vertrek doet me denken aan het dodenkamertje waar mijn moeder uiteindelijk ingeslapen is. Een verdrietig ziekenhuishok dat er speciaal voor was bedoeld. Maar dat zeg ik Coosje niet.

Ze zit monter op haar bed, permanent verbonden met het zuurstofapparaat vanwege haar haperende longen. Het liefst wil ze die middag nog naar huis en spreekt tegen beter weten in het vermoeden uit dat ze het met een beetje hulp wel zou redden. Coosje Visscher is blij me te zien. Opgetogen zelfs en een beetje nerveus. Het is een wonder dat ik haar nog levend aantref. Ze was ongelukkig gevallen, had vier ribben gebroken en daar was nog een longontsteking overheen gekomen. De artsen hadden haar zoon en dochter maar vast gewaarschuwd. Veel fiducie hadden ze er niet meer in. Maar Coosje had de dood nog even buiten de deur gezet.

Als 20-jarig meisje was ze bij mijn grootouders in de kost. In 1945. Daarvoor had ze in de Abel Tasmanstraat gezeten, maar het eten was er niet best. Wel erg karig. Iemand had haar gezegd dat ze bij Freriks op de Peizerweg misschien wel terechtkon. Dat het een goed huis was. *'Ik sprak je grootouders aan met moe en pa Freriks. Misschien heb ik ook weleens tante Tonia tegen je oma gezegd.'* Ze kwam van het platteland, uit Uithuizenmeden bij Roodeschool en werkte in Groningen-stad bij een laboratorium voor grondonderzoek. Daarom droeg ze een witte doktersjas die Jantje zeer fascineerde. Ze hadden meteen vriendschap gesloten.

Ik geef haar de foto die altijd naast het bed van mijn ouders stond.

Jantje, Johan en Flip, augustus 1944

'*Oh God, dat smoeltje. Ja, dat is 'm. Dat is Jantje.*'
Ze heeft tranen in haar ogen.

Jantje was haar oogappel voor de tijd van nauwelijks twee maanden. Haar enige echte oorlogsherinnering. Zo zoet en zo pijnlijk. Vaak had ze haar kinderen over Jantje verteld. Steeds weer hetzelfde verhaal. Ze kunnen het dromen. Maar Coosje was het contact met de familie Freriks kwijtgeraakt. Hoe de dingen gaan, ieder z'n leven. Ze was getrouwd, had zelf een kind verloren, was naar elders verhuisd. Maar nog één keer wilde ze dat verhaal kwijt. Aan die man van de televisie die haar niets zei tot dat hij plotseling het jongere broertje van Jantje bleek te zijn.

'*Je lijkt op 'm,*' zegt ze.

We eten de zoveelste chocoladeflik want, goddank, ze mag alles hebben.

'*Hij was een heel warm ventje dat meteen contact zocht.*' En dus had het meteen geklikt tussen die twee. Meer dan met Joke. '*Hoe is het trouwens met hem? Ook een lief jong, daar niet van, maar met Jantje was het anders.*'

Ze vertelt bijzonderheden die ik niet eerder had gehoord en die ook Joop zich niet kan herinneren. Heel even komen de foto's van Jantje in beweging. Heel even is hij een gewoon kind dat speelt en hardop droomt. Hij wilde dokter worden en liep rond met een sigarenkistje van opa waarin hij zogenaamd medicijnen bewaarde. Deels waren het flesjes die Coosje uit het laboratorium meenam. *'Ik plakte er pleisters op met Latijnse woorden die ik had opgezocht. Ik las hem boekjes voor. Ik nam Chinidrone mee, een stof om te zien hoeveel zuren er in de grond zitten. Daar moest je heel erg van niezen. Dat vond hij prachtig.'*

Ik vertel haar dat Joop arts is geworden.

'Je meent het niet,' zegt ze alsof ze een spook ziet.

Ze herinnert zich dat Jantje in de vroege ochtend *'op kousenvoetjes'* haar slaapkamer binnensloop en heel stilletjes bij haar onder de dekens kroop. Zonder haar aan te raken en zo voorzichtig dat ze niet wakker zou worden. *'Ik deed dan alsof, maar dat moest natuurlijk niet te lang duren en dan zei ik: tjonge, wat is de dokter vroeg vandaag. Je zag hem genieten.'*

Van links naar rechts: mijn moeders zus Annie, mijn vader, moeder, Kinny en oom Dik. Vooraan neef Bart, Joke en Jantje

Ook zij heeft een foto voor me. Jantje op de rug van een groot paard. Glunderend. *'Hij wilde altijd mee als ik naar de boeren in de omtrek ging om eten te halen. Misschien is die foto daar wel genomen.'*

'Nee hoor, dat is het paard van oom Roelof,' zegt Joop nuchter. De zogenaamde oom Roelof was een kennis van opa die bij Van Gend & Loos werkte. Ze hadden nog paardentractie. Zeker in die tijd. Jantje mocht een keer op het paard zitten. Joke ook trouwens. De foto's staan in het familiealbum. Zo simpel was het.

Toen de Canadezen naderden wilden haar ouders dat ze terugkwam naar huis. *'Jantje wilde dat niet. Ik mocht niet weg, ik moest blijven. Hoe dan ook blijven. Hij bracht me ten slotte weg tot op de hoek van de Paterswoldseweg. Ik zie hem daar nog staan. Klein kereltje, zwaaiend met z'n handje. Ik moest huilen. Later heb ik me afgevraagd of ik het had voorvoeld wat er ging gebeuren. Diep in mezelf wist ik dat ik hem daar op die hoek van de straat voor het laatst had gezien. Daarom was ik zo bedroefd. Het beeld van Jantje die me uitzwaait, is me altijd bijgebleven.'*

Via via hoorde ze dat *'een van de kinderen aan de Peizerweg'* was doodgeschoten. Op zaterdagavond 14 april. Twee dagen voor de stad definitief was bevrijd. Het bleek haar Jantje te zijn. *'Ik kwam terug op de Peizerweg toen hij al begraven was. Er zat een kogelgat in het raam. Ik durfde er niet naar te kijken. Moe Freriks praatte aan één stuk door. Herhaalde steeds wat er was gebeurd. Ze zag er niet uit. Pa Freriks zei alleen maar: "Het is heel erg, maar doe nou maar rustig." Je oma vertelde dat ze in de voorkamer zaten, hij bij opa op schoot en dat Jantje naar bed moest. "Nee, oma, het wordt nu juist zo spannend," had hij haar gesoebat. Hij had het amper gezegd toen die kogel kwam.'*

"Oma, ik ben getroffen," had hij nog kunnen uitbrengen, een paar stappen en zeeg toen ineen. Tegen oma aan. Hevig bloedend. Halsslagader. Je oma bewaarde haar bebloede jurk en haalde die uit de kast om te laten zien. Geronnen bloed overal.'

68 Coosje is niet lang meer bij mijn grootouders gebleven. 'Het

was er zo triest. Je oma huilde alleen maar. Ze kon er niet over uit. Of ze
zich schuldig voelde? Ik weet het niet. Waarschijnlijk was ze daar veel
te verdrietig voor. Het leek of er nooit meer gelachen zou worden. Zelfs
het geruzie tussen je opa en je oom Joh bij het kaarten was voorbij.'

Op een nacht werd ze wakker van de deurbel. Ze hoorde ge-
stommel gevolgd door hevig gehuil. Het waren mijn ouders die
na een lange barre fietstocht bij opa en oma aanbelden. Ze waren na de aanzegging door de dominee zo snel mogelijk vertrokken. Een afmattende tocht zonder veel te rusten. Haast die geen
zin meer had. Maar wat moesten ze anders? Vanuit haar slaapkamer hoorde Coosje mijn moeder wanhopig schreeuwen. *'Jul-*
lie durven het niet te zeggen hè. Het is niet zo, Joke is ook dood.'

Joop herinnert zich vaag dat hij gewekt werd toen het nog
donker was. Als om te bewijzen dat hij nog wel in leven was.

Met mijn ouders was ze nog naar het provisorische grafje in
Groningen geweest. Heel erg was dat. Ze durfde ze niet aan te
kijken. Gesproken werd er niet. Voorheen had zij mijn vader
gekend als een man die graag een grapje maakte. Net zoals Pa
Freriks trouwens. Een beetje flirterig wel. Hij noemde haar 'de
slanke den' en dan moest iedereen lachen.

I I In de auto van Joop rijden we terug naar Amsterdam. Niet over de snelweg maar tussendoor. *Secondair*, zoals mijn vader dat noemde. Door het Drentse landschap met z'n fraaie dorpen. Vreedzaam. Welvarend. Het is laat in de middag. De zon heeft de waterkou verdrongen. Pas later besef ik dat we misschien wel de route hebben gereden die mijn ouders destijds heen en terug fietsend hebben afgelegd. Wanhopig van verdriet. Meteen nadat de dominee was langs geweest met het verschrikkelijke bericht, hadden ze geprobeerd om naar Groningen te komen, zo blijkt uit een briefje dat we tussen hun papieren hebben teruggevonden. Het is ongedateerd, we weten ook niet van wie het afkomstig is. Maar het lijkt erop dat mijn ouders via een relatie hebben geprobeerd om van de Engelsen een *permit* voor vervoer naar Groningen te krijgen. *'Verbinding met Groningen kan hoogstwaarschijnlijk niet plaats hebben voor over een week. Zelf kunt U nog vragen bij Militair Gezag, Maliebaan 10, in het voormalig N.S.B. hoofdkwartier. De Britsche officier had voor zijn eigen familie zelfs geen dringende voedselvoorzieningsreis naar Nijmegen in orde kunnen krijgen. Met vele goeden gedachten, in haast…'* Ondertekening onleesbaar.

In het RVU-interview zegt mijn moeder: *'Mijn man en ik zijn met veel moeite, op een geleende tandem, door het nog gemilitariseerde deel van Nederland, naar Groningen gereden. We moesten weer de IJssel over, maar de bruggen waren er niet meer. Er lag wel een noodbrug, daar wilden we over, maar ik vond het een beetje griezelig. Plotseling kwam er een Nederlandse militair in een jeep aangereden. Hij vroeg wat we van plan waren. We vertelden dat we naar Groningen moesten. Hij moest ook naar Groningen en nodigde ons uit bij hem in de jeep te stappen. Hij ging naar zijn vrouw die hij vijf jaar niet had gezien.'*

Het was ze uiteindelijk toch gelukt. Nachtelijke aankomst. En toen weer terug. Met alleen Joop. Achterop hun tandem. Ze waren eerst nog een stuk meegereden met een vrachtwagen, achter in de laadbak, naar Meppel of zo. Daarna ging het verder met de fiets. Joop vond het wel een spannende reis. Verder is de herinnering vaag. Een brug in puin aan de linkerkant toen ze via een schipbrug de IJssel overstaken. Of het bij Deventer was of Zwolle? Het was in ieder geval in de ochtend.

Ik heb me altijd een voorstelling proberen te maken van die reis. Mijn moeder had het er af en toe over. In het relaas van die tocht had ze al haar verdriet samengebald. Fietsen, trappen, door. Terwijl ze eigenlijk niet meer wilde en ook niet meer kon. Mijn vader zal haar er doorheen gesleurd hebben. Het moet een bizar gezicht zijn geweest, die drie op een tandem, verloren in een kapot land bij een kapotte brug.

Hoe Joke die dagen heeft beleefd, heb ik me pas jaren later afgevraagd. Mama vooral had verdriet. En papa ook. Maar Joop was een grote broer en grote broers hebben geen daar last van. Op die verschrikkelijke avond had hij niets gemerkt. Hij was al naar bed. Niemand had hem wakker gemaakt. Pas de volgende ochtend, toen hij naar beneden ging, bleek alles anders te zijn. Oma zat er, wat vreemd was, want opa was altijd eerder op. Ze had rode ogen. Huilde. *'Ze zei dat ik naar opa moest. Hij lag nog in zijn bed en ook hij huilde. Dat was heel erg natuurlijk. Hij had een splinter in zijn hoofd. Een kogel had hem geschampt.'*

Opa vertelde hem ongeveer wat er was gebeurd. Maar het meeste vernam hij dankzij de gesprekken met buren en kennissen die langskwamen. Ze kregen alle details die eigenlijk niet voor de oren van Joke bestemd waren. Zo weet hij dat Jantje bij de schuifdeuren iets rechts van het midden in de achterkamer dood was gebleven. En inderdaad, hij had nog gezegd: *'Oma, ik ben getroffen.'* Precies in die bewoordingen. *'Getroffen.'* Oma en opa herhaalden maar steeds dat de kinderen niet bij het raam mochten. Dat ze dat ten strengste verboden hadden. Maar ze hadden gedacht dat de oorlogshandelingen voorbij waren. Het was plots zo rustig geworden.

Joke kreeg zijn overleden broer niet te zien. Jantje lag opgebaard op de achterslaapkamer. In de kamer van Coosje. Verboden terrein, hoewel hij alle verhalen te horen kreeg. Al was het maar tegen wil en dank. Maar de hoofdpersoon, zijn eigen broer om wie het allemaal ging, bleef onzichtbaar. Oma en opa wilden Joke natuurlijk in bescherming nemen, maar in feite lieten ze hem moederziel alleen met het grote, verschrikkelijke mysterie van de dood.

Op de dag van de begrafenis vraagt tante Dini uiteindelijk, vrijwel in het geniep, of hij Jantje nog wil zien en dat wil hij. Die beelden staan hem nog heel precies voor de geest. *'Ik heb ja gezegd ook al wist ik dat oma en opa het niet goed vonden. Jantje lag op bed in een crèmekleurig jasje met een hoog kraagje. Hij was heel bleek en leek te slapen. Van de oorzaak kon je niets zien. Zijn haren waren mooi opzijgekamd. Het was net of ze nog een beetje nat waren. Ik mocht er niet aankomen.'*

Aan dat moment heeft hij geen slechte herinnering overgehouden. Toch nog afscheid. *'Ik vond het eigenlijk fijn. Als kind had ik niet zozeer het gevoel dat ik daar recht op had, maar dat ik iets niet mocht dat ik graag wilde. En nu werd het me alsnog toegestaan. Dat was een soort van opluchting. Ik zag eindelijk wat er verteld was. Het was de bevestiging. Ik ben tante Dini daar zeer dankbaar voor geweest. Als papa en mama later soms iets onaardigs over oom Joh en tante Dini zeiden, kon ik dat niet uitstaan. Ze hadden iets voor mij gedaan dat ik als kind heel belangrijk vond.'*

Op het bovenhuis was het heel druk op de begrafenisdag. Joke mocht niet mee. *'Dat begreep ik niet. Al die vreemde mensen wel en ik niet. Tante Dini bleef om op me te passen.'* Door het raam met de kogelgaten zag hij de koetsjes met de paarden. Dubbel jammer. Dat hij niet in zo'n koetsje zitten mocht. En daar gingen ze. Het laatste beeld. Jantje voor altijd vervaagd. *'Ik weet zelfs niet meer hoe we met elkaar omgingen. Of we veel me elkaar speelden. Alles is weg.'*

In Utrecht sloeg er een soort leegte toe, in de woorden van Joop. Hij kan zich niet herinneren dat ik er was. Wel bij het afscheid, niet bij terugkomst. Ook niet dat mijn moeder later zwanger was van Susanne. '*Het vervangkind*', zoals ze zichzelf wel noemt.

Er werd weer beneden gewoond, de meubels waren naar de begane grond teruggesjouwd. Het was een rommelige, onzekere tijd. Er werden zomaar fietsen uit de schuur gestolen. Later werd verteld dat oom Piet Loos van naast ons op nummer 5 in die tijd met een ploertendoder rondliep. Een detail dat ik machtig interessant vond. Tommie had weer jongen en deed haar reputatie van buurthoer eer aan. Er stond plotseling een radiotoestel in de vensterbank achter, er waren sigaretten, op zolder hingen geen tabaksbladeren meer te drogen, er was Zweeds brood. Het normale leven kwam weer op gang. Bij wijze van spreken wel te verstaan.

Er was een nacht dat mijn moeder schreeuwend en huilend bij Joke de slaapkamer binnenkwam; de voorslaapkamer waar ze tijdens het laatste oorlogsjaar '*gewoond*' hadden. De twee bedden waren weer naast elkaar gezet, net zoals voor die tijd. Daar sliepen de twee jongens, zoals ik er later ook naast mijn broer geslapen heb. Jantje aan de muurkant, Joke bij het raam. '*Mama was in een soort razernij. Ze rukte de dekens van het bed van Jantje naast mij en gilde buiten adem: "Waar istie dan". Mijn vader liep er wanhopig achteraan en probeerde haar te kalmeren of te troosten. Ze leek mij niet te zien. Ik hield me stil en had het gevoel me nog onzichtbaarder te moeten maken. Er is met mij later nooit meer over gesproken. Zonder het nader te kunnen duiden, heeft het grote indruk op mij gemaakt. Een vaag gevoel van schuld en overbodigheid, zou ik nu zeggen.*'

Zo werd Joop nooit iets gevraagd. Hij had immers niets gezien en was tegen al het pijnlijks in bescherming genomen. De kinderziel gespaard. Gelukkig maar voor hem. Later, toen hij alsnog met mijn moeder in gesprek probeerde te komen, bleek ze allerlei details niet te kennen die Joop wel kende. Het schokte hem. Waarom had ze dat alles nooit willen weten terwijl zij bij anderen zo gretig haar verdriet etaleerde? Waarom werd hém niet gevraagd wat hij had meegemaakt?

Bevrijding in Utrecht, hoek Potterstraat-Oude Gracht, 1945

Als Joop terugdenkt aan die eerste naoorlogse jaren, herinnert hij zich vooral een *'depri-gevoel'*. Hij was liever in Groningen. Bij de bevrijdingsfeesten voelde hij zich ongemakkelijk. Alsof het niet gepast was om mee te doen, want mama en papa deden dat evenmin. Vooral voor mama was dat net even te veel.

Ik zit op de bank bij mijn nicht Kinny en haar man Jaap. Ze zijn hartelijk als altijd. Ik krijg koffie en soep. Ik heb me altijd bij hen op mijn gemak gevoeld. Vertrouwd. Het is nu niet anders. Kinny is de dochter van mijn moeders twaalf jaar oudere zuster. Zelf was ze dertien jaar jonger dan haar *tante Suu* zoals ze mama nog altijd noemt. In 1945 was Kinny twintig jaar en meer een vriendin dan een nicht. Tot mijn moeders dood waren ze zeer aan elkaar gehecht. Joop herinnert zich dat mama op de bruiloft van Kinny en Jaap in 1947 een liedje gezongen had. Hij was blij verrast, want voor het eerst was zijn moeder weer eens vrolijk geweest. *'Ach ja,'* zegt Kinny, *'je moeder was in die tijd zo overstuur. Je vader hield het meer voor zichzelf. Ik kwam toen vrij veel bij jullie. Toen we een keer wan-*

delden, zei hij tegen me: *"Ik heb ook verdriet maar het is zo moeilijk om er over te praten. En dat was juist wat je moeder wilde."'*

Ze vertelt over het weeskind dat bij ons in huis kwam, maar na korte tijd weer moest verdwijnen. *'Dat kwam niet door je moeder. Het was je vader die het niet aankon.'* Ik weet over wie ze het heeft. Over een jongetje dat even oud was als Jantje en zelf ook Jantje heette. Jantje Beek uit Zwolle waar mijn ouders vlak na hun trouwen, tot hun vertrek in 1938 naar Utrecht, hadden gewoond. Het zoontje van vrienden. *'De moeder van Jantje Beek was een goede vriendin van tante Suu. Ze leed aan kanker en is daaraan overleden. Ze was toen al weduwe. Het jongetje kwam in ieder geval bij jullie in huis. Maar het lukte je vader niet om aardig voor dat jong te zijn.'*

Dezelfde leeftijd, dezelfde naam. Papa ging onwillekeurig vergelijken. De aanwezigheid van de andere Jantje werd een dagelijkse confrontatie met de dood van zijn eigen zoon. Dat werd hem te veel. Hij kon er niet tegen. *'Zo heeft je moeder het mij toen verteld. Ze had het er heel moeilijk mee. Ze had het idee dat ze een belofte had gebroken.'*

Bevrijding 1945 in onze straat, tweede van rechts tante Dini Loos

Flipje in mei 1946
voor de openbare school in
het Majellapark

En zo werd Jantje Beek na verloop van tijd weer weggestuurd, terug naar vanwaar hij kwam. Ook tegen Susanne heeft mijn moeder later gezegd hoe schuldig ze zich daarover voelde. *'Ze zag nog voor zich hoe hij gekomen was. Bij iemand achter op de fiets, met een armzalig koffertje dat hij voor zijn buik hield. Zo was hij ook weer vertrokken. Bij iemand achterop de fiets met dat koffertje.'*

Jantje Beek is later nog weleens bij ons teruggeweest. Een paar keer, niet meer. Ik voelde dat die bezoekjes verliepen in een gespannen sfeer. Het was een opluchting als hij weer vertrokken was. In die zin hebben we gezondigd in commissie.

Het verdriet werd met Susanne (1946) en mij meer gedeeld, realiseer ik me nu. We waren onbevangen, vol intuïtieve compassie voor het grote moeder- en vaderverdriet. In alle oprechtheid natuurlijk en daar heb ik geen spijt van. Maar geen moment hebben we er toen aan gedacht dat Joop misschien ook wel een verhaal had. Dat kwam pas toen we al geruime tijd volwassen waren. Plotseling ging het erover, terwijl we er onderling nooit over spraken. Ik herinner me dat als de dag van gisteren. Als een soort revelatie. Hij was samen met Eeke bij ons in Parijs. We zaten aan de maaltijd. Wijn, gezellig. Ik weet niet meer hoe het gesprek er zo op kwam. Vermoedelijk omdat ik het wel vaker had over Jantje en hoezeer het ouderlijke verdriet z'n sporen had nagelaten. Hoezeer dat ons leven had bepaald. Mijn leven.

Joop zal daar zo zijn gedachten over hebben gehad, besef ik nu. Een geschiedenis die zich herhaalde. Weer werd zijn verdriet genegeerd. Bij die gelegenheid pas heb ik hem gevraagd hoe het hem eigenlijk was vergaan. Wat hij had meegemaakt en met zich meedroeg? Dat de dood van Jantje voor hem een ingrijpende gebeurtenis moest zijn geweest. Dat ik hem er nooit over had gehoord. En nu begrijp ik waarom. Ik denk dat het voor het eerst was dat één van ons hem zo direct naar zijn gevoelens vroeg in dit verband. Eindelijk. Het gesprek nam een verrassende wending. Voor het eerst zag ik mijn oudere broer die huilde.

Susanne en ik,
augustus 1949

12 We zijn terug op de Peizerweg en hebben nog even in de portiek gestaan van oma en opa. Bovenaan de trap van granito grijs met houten leuning. Klein halletje, altijd kleiner dan je in je kinderlijke herinnering voor ogen hebt. Het bordje *J. Freriks sr.* is weg. Uiteraard. In Utrecht was er een met *J. Freriks jr.* We hebben 'm er zelf nog afgeschroefd en als een relikwie bewaard. Hij ligt op een van de planken van de boekenkast die mijn vader zelf in elkaar had gezet. Planken van *'mooi eiken'*, toentertijd aangeleverd in een bouwpakket. Mijn vader kon veel met zijn handen.

Hoe vaak zijn we hier niet op- en neergerend? Op stap gegaan met, zoals Joop hem beschrijft, *'een sterke opa die rondliep alsof de stad van hem was: wandelstok, hoed op en een sigaar stevig vastgeklemd in de hoek van zijn mond.'* De oud-machinist opa Freriks; meester op de bok van zijn machine. Gezagvoerder was misschien een beter woord geweest. Mijn vader had nog weleens woorden met hem. Maar voorzover ik kan nagaan, had dat niets met de dood van Jantje te maken. Vader, zoon, dat wil nog weleens botsen. Opa maakte graag een ommetje om ergens op een bankje in het park met oud-collega's te kletsen. *'Ouwehoeren op het leugenbankje'*, noemde mijn vader dat.

Van opa kregen we altijd een ijsje. Eén ijsje per logeerpartij. Van Jamin, dat waren de lekkerste. Zo was het zelfs in de oorlogsjaren, herinnert Joop zich. Eén ijsje per keer. Niet om vragen, rustig afwachten. Anders kon je het ijsje wel vergeten. We gingen naar het keuren van de paarden op de Grote Markt bij Gronings Ontzet op 28 augustus. Dan was er ook kermis, een grote uitbundige kermis.

De bewoonster van 31a is er niet. Via de telefoon laat ze weten dat we bij gelegenheid van harte welkom zijn, maar bij een volgend telefoontje via de voice-mail krijg ik geen reactie. Het komt er niet meer van. Ik ben al eerder een keer de buurt doorgeweest. Bij toeval, voorzover dat bestaat. Heb er rondgelopen zonder precies te weten wat ik zocht. Iets dat herkenbaar zou zijn en een gevoel zou opwekken. Iets van toen. Met een snufje melancholie misschien wel. Iets wat je even overmant. Maar het is allemaal al te ver weg. Tijd slijt. Het ruikt er zelfs niet meer naar tabak. Voor alle zekerheid loop ik nog even door de Abel Tasmanstraat. Daar dus op nummer 19a woonden oom Joh en tante Dini. Het ovalen witte nummerplaatje is nog hetzelfde. Het zij zo.

Joop herinnert zich dat er bij hen op zolder ratten zaten. *'Als je tussen de rommel doorkeek, kon je hun oogjes groen zien oplichten.'* Tante Dini luisterde graag naar Radio Luxemburg vanwege de Duitse schlagers. De oorlog was al weer ver weg. Mijn moeder vond dat ordinair. Ik hoor Pie nog, een druk pratende vrouw die eieren aan de deur bracht en zo Gronings sprak dat ik er niets van kon verstaan. En de bakker die aan de deur kwam met allerlei heerlijkheden als stol en moorkoppen, en leuke grappen maakte. Ik leerde dat ze meisjes in Groningen *wichter* noemden. Het zal wel.

Ik loop wat wezenloos langs de vijver van het Van Brakelplein. Oh god, dat drama. Toen ik vier of vijf was en we voor de Kerst weer eens in Groningen waren, was ik aan de wandel gegaan en enkele uren onvindbaar geweest. Grote paniek bij mijn moeder. Iedereen werd gemobiliseerd om te zoeken. Ik was simpelweg naar de stad gekuierd. A-Kerkhof, Vismarkt, richting Grote Markt. Donkere straten met veel winkels. Kerstdrukte. Vast heel gezellig. Nog veel kapot. Een mevrouw had nog gevraagd: *'Ben jij helemaal alleen op stap, kereltje?'* En ze had me naar de overkant geholpen. Achter zo'n rode stadsbus langs. Trolleybus misschien wel, want dat was ook een Groningse specialiteit. Als ik op de plattegrond van Groningen kijk, weet ik bijna zeker dat het op de hoek van de Brugstraat en Hoge der A moet zijn geweest. De brug, een winkel in het hoekpand, die vrouw, de bus. Dat is het enige zichtbare dat me van die escapade is bijgebleven. En een gevoel van intense tevredenheid. Alleen op stap. Het was een heel plezierige wandeling.

Mijn moeder was zelf naar het Van Brakelplein geweest om te zien of ik daar niet in de vijver was verdronken. Ik weet nog hoe woedend mijn ouders waren, toen ik weer boven water kwam om zo te zeggen. Buitenzinnig waren ze bijna. Naar mijn gevoel had ik niets misdaan en een prettige middag gehad, die nu helemaal was verpest. Ik moest voor straf vroeg naar bed. Ik vond hun reactie zwaar overdreven.

En nu staan we daar voor de ontknoping. Zestig jaar later. Dat we nooit eerder hebben gezocht om het te weten. Alsof we verlamd waren. Misschien vonden we het ook wel goed zo, dat verhaal van die verdwaalde kogel. Voor ons was Groningen eigenlijk alleen maar een goede herinnering. Zelfs voor Joop. Misschien kwam het ook door mama. Het was haar verhaal, haar verdriet, haar wanhoop. Er kon geen twijfel bestaan over de loop van de gebeurtenissen zoals zij die vertelde. Vragen was pijn doen, twijfelen was als storen van de doden die in vrede heten te rusten. Toen ik niet zo lang voor haar dood het boekje van Van Ommen Kloeke in handen kreeg met achterin de lijst van de burgerslachtoffers en dus ook de naam van Jantje, hoefde ze dat niet te zien. 'Nee, laat maar.' Zes woorden te veel, verdriet voor het leven. Ik wist op dat moment precies hoe het voelde. Als vroeger wanneer ze zo verdrietig kon zijn.

Na de dood van Oma Zutphen, werden we in een taxi naar het station gebracht. Mijn moeder en ik zaten samen op de achterbank. Ze hield mijn hand vast en kneep heel hard. Een gebaar van verbondenheid Als een fluïde stroomde al haar verdriet naar mij over. Gedeeld verdriet is halve smart. Ik was negen jaar, even oud als Jantje toen hij stierf.

We staan daar nu, omdat ik een brief had ontvangen van Piebe van Boon, een buurjongen van 39a, pal naast Houwen op 41. Hij was 16 destijds en had met eigen ogen gezien, zo liet hij me weten, wat er was gebeurd. Niks verdwaalde kogel zoals ik had gezegd in een tv-portret dat Ivo Niehe van me had gemaakt. Als het me interesseerde wilde hij wel vertellen waarvan hij getuige was geweest. We parkeerden onze auto's pal voor de deur op de Peizerweg. Hij geeft een herkenbare typering van mijn grootvader. *'Een wat stijve, norse man, die opviel omdat hij nog een fiets had. Alleen spoormensen hadden nog een fiets.'*

Hij vertelt hoe de sfeer en de omstandigheden waren. Dat de mensen voor de ramen stonden en de straat op gingen zo gauw er even een gevechtspauze was. Heel gevaarlijk eigenlijk. Zij als opgroeiende jongens hielden zich schuil op de trappen van de portiek. Zo gauw het rustig werd, gingen ze de straat op. Kijken wat er gebeurde. Het liefst achter de militairen aan. Zodra er weer geschoten werd, doken ze de portiek in. Een soort spel van kat en muis, op leven en dood, maar dat beseften ze niet.

Piebe van Boon doet zijn verhaal in sobere bewoordingen. Hij zou zeer bij mijn moeder in de smaak gevallen zijn. Een *partijgenoot*. Als ze dat zei, lag er in dat begrip heel veel besloten. Gelijkgezindheid, vertrouwen. Dan kon de persoon niet echt slecht zijn. Een soort wij tegen de boze buitenwereld. Hij is iemand zoals zij, met een groot maatschappelijk engagement. Mijn moeder zat twintig jaar lang voor de PvdA in de Utrechtse gemeenteraad en was lid of voorzitter van talloze besturen. Ze stond altijd op de bres voor mensen die minder goed voor zichzelf konden opkomen. Als kind had ze maar al te goed geweten wat armoede was.

Van Boon was jarenlang actief vakbondsman die tot twee keer toe stakingen leidde bij Philips in Stadskanaal, wat hem op vervroegd pensioen op z'n 54ste kwam te staan. Ze hadden er wel wat voor over om hem kwijt te raken. Hij werd voorzitter van de plaatselijke PvdA-fractie en is nog altijd lid van de commissie rechtsbescherming en actief in het vluchtelingenwerk. Zo'n man dus. Een man naar mijn moeders hart.

Er waren die zaterdagmiddag al heel wat tanks voorbijgekomen. Veel beweging van militairen. Hevige schietpartijen bij de suikerfabriek en op de Paterswoldseweg. Een Shermantank had zelfs vanaf de Peizerweg een stuk Duits geschut uitgeschakeld dat aan de overkant van het Hoendiep stond en via de Abel Tasmanstraat zichtbaar was. Door de luchtdruk ging het laatste stuk ruit bij de Van Boons er aan. Nu kregen de Duitsers ervan langs. De revanche. De sfeer was bijna euforisch. Gevaar leek nauwelijks te bestaan. Ook hij had de Canadees gezien die de deur aan de overkant intrapte en dat van het geldkistje. En natuurlijk, de dode Duitse soldaat op de Paterswoldseweg en de Duitser met zijn zware mitrailleur bij de basculebrug die het niet zou overleven. Het nachtelijke gehuil van de mortiergranaten. Joop merkt tot zijn genoegen dat zijn herinneringen kloppen.

Hij vertelt ons een detail dat we niet kenden. Niemand had ons daar ooit iets over gezegd. Op 33, dus schuin onder het bovenhuis van onze grootouders op 31a, woonde een NSB'er, een man van een jaar of dertig. Hij woonde er alleen met zijn moeder. Hij was landwachter. Volgens Piebe van Boon had hij aan het begin van die zaterdagavond 14 april, toen de wijk dus weer even in handen van de Duitsers was, vanuit de benedenwoning op 33 geschoten. Op een patrouille van Canadese soldaten die aan de overkant liep. Een paar schoten, *klakklak*. De jongens waren zoals gebruikelijk de portiek ingedoken, maar er gebeurde niets. Geen soldaat was geraakt. De patrouille ging verder en het werd weer rustig. Hebben de soldaten toen om versterking gevraagd?

De jongens kwamen terug op straat. Het duurde daarna misschien nog wel drie kwartier, het zal bijna kwart over acht zijn geweest, bedtijd voor Jantje, toen er een zogenoemde *bren-carrier* met veel kabaal van de Paterswoldseweg de Peizerweg opdraaide. Zo'n voertuig met rupsbanden, van boven open, klein, snel, wendbaar, met een stevige mitrailleur voorop, werd ook wel een babytank genoemd. De Canadezen hadden er veel van. De jongens op straat zagen 'm naar hen toekomen. *'Ter hoogte van 33 begonnen ze ineens te schieten. Een beetje in het wilde weg op zo'n beetje alles dat bewoog. We doken meteen de trapportiek weer in.'* Een kwestie van seconden. Niet meer. Een salvo op de gevel. De babytank was niet eens gestopt en reed met grote snelheid door, meteen rechtsaf, de Van Wassenaerstraat in naar het Van Brakelplein. 'Wellicht hebt u zich afgevraagd waarom zij voor het raam stonden. Zoals gezegd, wij dachten dat het ergste voorbij was en keken allemaal, na vijf jaar bezetting met alle ellende vandien, reikhalzend uit naar onze bevrijders. Niemand dacht eraan dat er nog ergens een sluipschutter zat die ook ging schieten.'

Als het lawaai wegebt, horen de jongens een verschrikkelijk gegil. Bij de trap van 31a ontstaat een oploopje. Drie kogels hadden het voorraam van het bovenhuis op 31a doorboord. Er is een kind omgekomen. Het gegil was van mijn oma. In haar wanhoop had ze vanaf het achterbalkon om haar zoon in de Abel Tasmanstraat geschreeuwd. Alsof hij nog iets kon doen. Het verhaal ging dat oom Joh van balkon naar balkon springend de woning van oma en opa had bereikt. Kijkend naar de achtergevel lijkt ons dat niet erg waarschijnlijk. Hij zal wel via de brandgangen zijn gerend.

De dinsdag daarop werd er uitbundig feestgevierd. De gevechten waren de dag daarvoor, op maandag de 16e, definitief beëindigd. Groningen was vrij. De oorlog was voorbij. Piebe van Boon weet nog dat ze in de straat erg met die mensen van 31a hadden te doen. Het was bijna niet gepast, al dat feestgedruis.

In *Vier dagen in april* staat een foto van een groep mannen die door de Canadezen wordt opgebracht. Ze hebben hun handen in de nek. '*Snipers in civilian clothes*', staat er in het onderschrift. De foto is op 15 april gemaakt op de Paterswoldseweg. Ik herken de hoge dwarsstaande huizen op de achtergrond als het begin van de Peizerweg. Piebe van Boon meent de bewoner van 33 te herkennen. '*Geerts heette hij, ik weet bijna zeker dat hij het is.*'

Nu moet er nog een bevestiging komen, maar andere getuigen zijn er niet meer. Niet dat ik weet in ieder geval, een zoektocht levert niets op. De stichting Oorlogs- en Verzetsmateriaal

VRAGENLIJST

Deze Vragenlijst behoort binnen een week na ontvangst door U, onder opschrift „Vertrouwelijk" op de enveloppe, terug te worden gezonden aan het A R B E I D S G E B I E D P E R S O N E E L van Het Nederlandsche Arbeidsfront, P. C. Hooftstraat 170-180, Adam-Z. Lees eerst de geheele vragenlijst (ook de achterzijde) aandachtig door, alvorens tot invullen over te gaan.

Persoonlijke gegevens:

Achternaam: *Geerts*
(bij vrouwen ook meisjesnaam):

Voornamen: *Albert Klaas Hendrik*
(Voluit):

Geboortedatum + jaar: *6 Mei 1915* plaats: *Enschede*

Nationaliteit: *Nederlander* Godsdienst: *Vrijz.*
(ook vrijdenkend)

Woonplaats: *Groningen*

Straat: *Feiterweg* No. *33* Sedert: *1940.*

Tel. No. Kantoor: Tel. No. Huis:

Corresp.adres: *Feiterweg 33*

Nauwkeurige opgave, waar in de laatste 5 jaren gewoond:
(Zoo mogelijk met vermelding van data)

1939-1940 in Delfzijl
1940 tot heden bij Groningen

Straffen
(Gewone Rechtbank - Raad v. Discipline): *Geen*

Onderhoudsverplichtingen: Gld. *Geen* per maand

Schulden en andere verplichtingen: Gld. *Geen*

Familieomstandigheden:

Gehuwd met:

Geboortedatum en jaar: -plaats:

Gehuwd waar: wanneer:

Wed. sinds: Pensioen en Rente:

Gescheiden (Hoe?): Sinds:

Onderhoudsbetalingen:

Bij wien zijn de kinderen:

OVERLEDEN INVULLEN OOK INDIEN OF OUDERS

Vader
(voor-, achternaam,
geboorteplaats, -datum, -jaar):

Moeder
(voor-, achternaam,
geboorteplaats, -datum, -jaar).

Uw kinderen
(aantal incl. overleden): Aantal nog in leven:

Kinderen (nauwkeurige opgave of het echtelijke-, buiten-echte-lijke-):

Lid. Nr:

re Dienst:

aan den oorlog):

Laatste dienstrang:

Oorlogs-inv.: %: Uitkeering: Gld.

Burger-inv.: %: Uitkeering: Gld.

4. Politieke werkzaamheden in de N.S.B.:

Stamboeknummer: *028969*

Datum inschrijving: *15 Maart 1943.*

Uitgetreden (geroyeerd):

Weder opgenomen:

Strijd en offer insigne:

Andere onderscheidingen v.d. N.S.B.:

Functie P.O.:

Benoeming als: *Blokleider*

Groep: *West* Kring:

W.A., SS, Mot. W.A., Ber. W.A., Luchtv. W.A. sec

Tegenw. dienstrang:

N.J.S., N.S.S.F. sedert:

Tegenw. dienstrang:

Eereteekens:

N.S.V.O. sedert:

Functie W.H.N. of N.V.D. *Collectant*

Van welke vakorganisatie, en sinds wanneer, was U lid:
Makelaarschap sinds 1943

Zondag 15 april 1944, groep gearresteerde sluipschutters op de Paterswoldse-weg-hoek Peizerweg, links vooraan landwachter Albert Geerts

Groningen beschikt over Canadese logboeken, *War Diary* staat er bovenaan elk blad. Daarin wordt gesignaleerd dat er in de buurt inderdaad sluipschutters zaten. Over de schietende *Bren-carrier* op de Peizerweg geen woord. Ik vraag me trouwens af hoe precies die *War Diaries* zijn. Op de uittreksels die ik te zien heb gekregen, wordt 13 april als een woensdag opgevoerd terwijl dat een vrijdag was, de 14e als donderdag en dat was een zaterdag, dat weten we maar al te goed. Kennelijk waren onze bevrijders een beetje de tel kwijt.

Via dezelfde stichting krijg ik uiteindelijk een overlijdensakte van Geerts in handen. Albert Klaas Hendrik Geerts, geboren op 6 mei 1915 in Enschede. Veroordeeld wegens collaboratie. Daarmee heb ik toegang tot zijn dossier in het Nationaal Archief in Den Haag.

Het belangrijkste is of de foto klopt. Of de man die wordt opgebracht inderdaad Albert Geerts is. In zijn dossier zitten pasfoto's. Ik leg ze naast de foto in het boek. Er kan geen enkele twij- 85 fel bestaan: de man met de handen in de nek is dezelfde als de man op de pasfoto's. Ook anderen, die onbevooroordeeld de foto's bekijken, pikken hem er meteen uit.

Hij is dus de man die geschoten zou hebben. De man van wie de vader van Piebe van Boon destijds *'buitenzinnig van woede'* zei: *'Dat stuk ongeluk van een NSB'er heeft de dood van dat kind op zijn geweten.'*

Maar geen woord daarover in het dossier. Er kunnen hoogstens belastende vermoedens uit worden gedistilleerd. Geerts was in 1940 met zijn moeder op nummer 33 komen wonen. Ze waren vrijzinnig hervormd, blijkt uit een vragenlijst van het Arbeidsfront. Hij had de MULO gedaan, maar had geen diploma. Als beroep gaf hij op *makelaar in onroerend goed en assurantiën.* Hij werkte eerst bij een kantoor en begon daarna voor zichzelf. Daarvoor was hij apothekersassistent. Voor hij zich met zijn moeder aan de Peizerweg vestigde, woonden ze een jaar lang in Delfzijl.

In maart 1943 had hij zich bij de NSB gemeld om te voorkomen dat hij, zoals hij later zou verklaren, als voormalig soldaat van het Nederlandse leger alsnog in krijgsgevangenschap zou worden genomen. Daar was toen sprake van maar gold alleen voor officieren. In de meidagen van 1940 was hij als simpel soldaat in Delft gelegerd. Gevochten had hij niet. Hoe dan ook, hij meldde zich aan en kreeg een opleiding. Op zijn *Vormingskaart,* gedateerd 8-10 juli 1943, staat: *'Spreekt tamelijk goed Duitsch'* en *'Goed ontwikkeld, maakt rustige betrouwbare indruk, eenvoudig spreker. Is geschikt voor wijkhoofd'.* Hij zal het later tot *Blokleider* brengen.

In mei '44 sloot hij zich aan bij de Hulpdienst. Per september '44 was hij als landwachter in beroepsdienst, voor veertig gulden in de week, een *Jaarwedde* van *f* 2050,- en daar bovenop een woningtoelage van *f* 205,- per jaar. Zijn loonkaart is keurig tot en met maart 1945 bijgehouden.

Hij droeg een uniform en was *'bewapend met een Italiaans ge-*

weer met vijf houders Italiaanse munitie'. Achttien tot twintig scherpe patronen. Hij moest wachtlopen en was een enkele keer bij arrestaties van onderduikers betrokken. Met name van *'een persoon die zich aan OT-graafwerk had onttrokken.'* OT stond voor *Organisation Todt* die dwangarbeiders tewerkstelde.

Na de oorlog zal de bovenbuurman van 33a, W. van Wageningen, verklaren dat Geerts *'een schuw persoon was'* die leefde *'onder druk van zijn moeder',* die overigens ook werd gearresteerd. De buurman had hem nog weleens in gezelschap gezien van Meijer, de NSB'er van de overkant die huizen van joodse gedeporteerden leeghaalde. En Van Wageningen vervolgt: *'De laatste tijd van de bezetting was hij nooit thuis. Tot hij tien dagen voor de bevrijding in het donker thuiskwam. Daarna is hij niet meer weggeweest.'*

Albert Geerts was er dus op die 14e april. En hij was gewapend. De BS, de Binnenlandse Strijdkrachten, had later twee geweren bij hem in het achtertuintje opgegraven. Een was er van een *'evacué'* die bij zijn moeder was ingetrokken. Geerts werd op zondag 15 april door de Canadezen als mogelijk sluipschutter gearresteerd. Met landverraders die zich verder niet hadden verzet, bemoeiden de Canadezen zich niet. Dat lieten ze aan de BS of andere instanties over. Samen met de andere arrestanten werd Albert Geerts overgebracht naar de Bloemenveiling op de Paterswoldseweg. Ter hoogte van de Piet Heinstraat en de fabriek van Niemeyer is de foto genomen. Een dag later werd hij overgebracht naar het Huis van Bewaring en kwam ten slotte in het interneringskamp Westerbork terecht. In februari 1948 werd hij vrijgelaten. Hij had een straf gekregen die even lang was als zijn voorarrest. En van zijn banktegoed bij de *Gelderse Credietbank* werd tweeduizend gulden verbeurd verklaard. Hij kon het lijden. Geerts had meer dan 26 duizend gulden op de bank staan, wat toen een klein vermogen was. In effecten onder meer. Terwijl hij in Westerbork zat, ging de aan- en verkoop van aandelen gewoon door. Albert Geerts had een goeie bank. Hij is in 1983 in Stadskanaal overleden.

13 We zitten weer met z'n drieën om tafel met de oude albums en stapels vakantiefoto's van onze ouders.

Het restant van al het papier, alle ansichtkaarten, alle brieven, alle pasfoto's, alle briefjes die we 's nachts met het verzoek om ons zo en zo laat te wekken op tafel legden, de sinterklaasgedichten, al het andere dat ze in de loop der jaren van ons hadden gekregen, verzameld en bewaard. Zelfs dictees, de fouten aangestreept, die mijn moeder had meegeschreven. En nu nog die stapels foto's uit Rome, Wales of Garderen. Herinneringen aan momenten dat ze vast een beetje gelukkig waren. Meestal staan ze er zelf niet eens op. En mijn vader was niet echt een goede fotograaf. We weten niet wat we ermee aanmoeten. Het zal weggooien worden. Misschien nu nog niet, maar later zeker.

We kijken de oude albums door. De laatste keer was lang geleden. Foto's van Elspeet waar we vakanties doorbrachten in het Doopsgezind Broederschapshuis. Ik weet nog dat we er in het bos oorlogje speelden met een jongen die mooie verchroomde speelgoedpistolen had. We hadden een wegversperring aangebracht. De langsfietsende gasten speelden het spel willig mee. Het kwam me op een verdrietig standje van mijn ouders te staan. Oorlogstuig was bij ons uit den boze. Oorlogje spelen evenzeer. Oorlog was geen spel. Juist ik hoorde dat te weten, hielden mijn ouders me voor. Ik voelde me meer dan betrapt. Het was alsof ik een beetje verraad had gepleegd.

Op de foto's zien we jonge ouders. Kwetsbaar. Zo had ik ze niet eerder gezien. Maar misschien komt dat door wat ik nu weet. Ze waren zo jong toen het ze allemaal overkwam. De oorlog, het verloren kind. Toch verder leven. Ze waren later een fantastische oma en opa. Ouders van wie we zielsveel hebben gehouden. Misschien was het daarom wel zo moeilijk om hun zwakten te accepteren. Het onvermijdelijke menselijke tekort. Ouders horen in kinderogen onfeilbaar te zijn. Het parcours dient foutloos te worden afgelegd. En het is ongelooflijk hoe lang je in de verhouding tot je moeder en vader kind blijft. Vol verwachting. Onredelijk veeleisend.

In hun verdriet hadden ze Joop een beetje vergeten. Ze waren niet in staat geweest hem op te vangen. Voor Joop was het vervolgens allemaal 'onaanraakbaar' geworden. Erover praten betekende dat de wereld in elkaar zou storten. '*Mijn zoon is doodgeschoten, dat kon mama niet zeggen. Was te moeilijk. Maar het is oneerlijk haar dat te verwijten. Ik weet het nu voor onszelf. Je bent niet in staat om rationeel een goede keuze te maken. Je doet alles puur op intuïtie. Later blijkt pas of dat wel of niet goed was. Oorlog is een smerig bedrijf dat indrukken oplevert die voor een mens te groot zijn.*'

Toen Jantje in 1946 naar *Den en Rust* is overgebracht, kregen de stenen rond het graf de vorm en afmetingen van de houten speelgoedblokken die mijn vader zelf in de werkplaats van het spoor had gedraaid. Blokken waarmee Jantje had gespeeld en die vervolgens van kind op kind zijn overgegaan. Ik heb er hele steden mee gebouwd. Mijn vaders blokken als een intiem grafmonument.

Mijn vader is een '*mooie dood*' gestorven, zoals hij het altijd zei als iemand plotseling was overleden. Door een inwendige bloeding was het met hem in een paar minuten gedaan. In de jaren daarvoor had hij wel veel angsten gehad, slapeloze nachten, alsof de dood al om hem heen cirkelde zonder dat hij 'm kon zien. Ik zag de dood in zijn ogen. Vooral op een foto die ik van mijn ouders had gemaakt bij de trein naar Amsterdam op het perron van het Gare du Nord. Hun laatste verblijf samen bij ons in Parijs.

De mooie dood was niet voor mijn moeder weggelegd. Het is nog een hele lijdensweg geworden. Ziekte van Kahler, een kwaadaardige aandoening van het bloedvormende systeem. Een soort kanker, zo men wil. In de laatste weken kwam alles van Groningen weer terug. In een vreemd soort chaos. Rare angstaanjagende visioenen. We waren veel bij haar. Wij, haar kinderen, maar ze miste er één. Meer dan ooit, leek het wel.

Ik kijk nog eens naar de foto's van Jantje. Een leuk jong, open gezicht, intelligent. Een levensgenieter in potentie. Niet oud genoeg geworden om een rotjong te zijn. Voor altijd Jantje de Lieverd. Voor altijd een kind. Voor altijd Jantje.

Ik heb het gevoel dat we het boek kunnen sluiten. De cirkel is rond. Op 19 mei van dit jaar 2005 zou Jantje zeventig zijn geworden. Een kroonjaar. We zouden misschien wel iets bijzonders hebben gedaan. Met een dineetje of zo, op een mooie plek en een goed glas. We zouden een origineel cadeau hebben bedacht. Maar zo is het niet. Het worden plantjes op Den en Rust.

Met dank aan:

Piebe van Boon

Deddo Houwen en Monique Brinks van
de stichting Oorlogs- en Verzetsmateriaal

Sierk Plantinga van het Nationaal Archief

B. van Leusen, co-auteur van *Vier dagen in april*

Coosje Visscher

en Susanne en Joop Freriks
zonder wier instemming en steun
dit boek niet mogelijk was geweest.

Colofon

Het boek *Jantje – Vertelling* van Philip Freriks werd in opdracht van uitgeverij Conserve gezet door 508 Grafische Produkties BV te Landgraaf in de Apolline corps 10/14 punts en gedrukt door De Boekentuin in Zwolle.

Vormgeving omslag: Edd Simons, Amsterdam.

Foto's merendeels uit de collectie van de familie Freriks, overig beeldmateriaal uit het bezit van Dini Naber-Loos en enkele afbeeldingen genomen uit *Vier dagen in april* van M.H. Huizinga en B. van Leusen in een uitgave van Reco, Groningen, verschenen in 1999.

1e druk februari 2005

UITGEVERIJ CONSERVE
Postbus 74, 1870 AB Schoorl
e-mail: *info@conserve.nl*
website: *www.conserve.nl*